REBEL RYGBI

REBEL RYGBI

DARGANFOD HANES,
DATRYS DIRGELWCH

GERARD SIGGINS

Addasiad Gwenno Hughes

"Gwych." *Sunday Independent*

Gwasg Carreg Gwalch

Ganwyd GERARD SIGGINS yn Nulyn ac mae o wedi byw yng nghysgod Lansdowne Road am y rhan fwyaf o'i oes. Bu'n mynychu gemau rygbi yno ers iddo fod yn ddigon bychan i'w dad ei godi dros y giatiau tro. Gohebydd chwaraeon yw Gerard wrth ei waith, a bu'n gweithio i'r *Sunday Tribune* am nifer o flynyddoedd. Mae addasiadau o'i lyfrau eraill am y chwaraewr rygbi Owain Morgan –*Ysbryd Rygbi* a *Rhyfelwr Rygbi* – hefyd wedi'u cyhoeddi gan Wasg Carreg Gwalch.

Cyhoeddwyd gyntaf yn Iwerddon dan y teitl *Rugby Spirit* yn 2012 gan yr
O'Brien Press,
© O'Brien Press
© Gerard Siggins

Argraffiad Cymraeg cyntaf: 2018
addasiad: Gwenno Hughes 2018

Rhif Llyfr Safonol Rhyngwladol:
978-1-84527-625-6

Cyhoeddwyd gyda chymorth Cyngor Llyfrau Cymru

Dylunio: Eleri Owen

Cyhoeddwyd addasiad Cymraeg gan Wasg Carreg Gwalch,
12 Iard yr Orsaf, Llanrwst, Dyffryn Conwy, Cymru LL26 0EH.
Ffôn: 01492 642031
lle ar y we: www.carreg-gwalch.cymru

Argraffwyd a chyhoeddwyd yng Nghymru

CYFLWYNIAD

Mae fy nheulu wastad wedi rhoi cefnogaeth arbennig i'm llyfrau, a hoffwn gyflwyno Rebel Rygbi *iddyn nhw. Diolch, Modryb Eileen, Modryb Carmel a Modryb Dor, ac Ewythr Jim ac Ewythr David.*

CYDNABYDDIAETH

Mae'r tri ysbryd yn y gyfres hon, Dic Gordon, Johnnie L. Williams a Sam Morris, yn bobl go iawn a dwi wedi trin y ffeithiau amdanynt a'u bywydau gyda pharch, tra 'mod i wedi defnyddio fy nychymyg am y ffordd y maent yn siarad. Dydi'r pedwerydd ysbryd, Joseba Pastor, ddim wedi'i seilio ar unrhyw gymeriad na digwyddiad hanesyddol.

Hoffwn ddiolch i bawb yn The O'Brien Press am eu help hefyd, yn enwedig fy ngolygydd gwych Helen Carr, y dylunydd penigamp Emma Byrne, a Ruth Heneghan a Bronagh McDermott yn yr adran gyhoeddusrwydd.

Diolch hefyd i'r nifer o ysgolion, llyfrgelloedd a siopau llyfrau sydd wedi fy ngwahodd i siarad am Dic, Owain a chefndir eu storïau. Mae'r bobl sy'n gweithio yn y llefydd yma'n chwarae rhan mor bwysig wrth drosglwyddo'r rhodd o ddarllen, fel mae rhieni, yn enwedig fy rhai i. Diolch Dad, diolch Mam.

PENNOD UN

'Gwylia!' Daeth bloedd sydyn o'r chwith i Owain. Plygodd ei ben yn reddfol wrth i fwled sïo heibio ei helmed.

'Roedd hynna'n agos,' mwmialodd wrth iddo addasu ei benwisg. Cydiodd yn ei reiffl yn dynn a throi i gyfeiriad y floedd. Roedd dyn cydnerth gyda mwstásh du yn gwenu'n ôl arno.

'Mae 'na 'chydig o ddyddiau o rygbi ar ôl ynddot ti eto, grwt,' chwarddodd.

'Rygbi?' meddai Owain, gan gofio yn sydyn. 'O na, dwi'n hwyr!' gwaeddodd wrth iddo swingio ei goesau allan o'i wely. Oedodd Owain wrth iddo wisgo'i sanau, gan gofio eiliadau olaf ei freuddwyd.

'Wnest ti'n achub i eto, do, Johnnie?' gwenodd, gan edrych draw at y darn o ddefnydd coch gyda thair pluen wen wedi'u brodio arno, oedd bellach yn gorwedd tu ôl i gwarel o wydr ar wal ei stafell wely.

Roedd Owain Morgan wedi bod yn cael llwyth o freuddwydion yr haf hwnnw yn sgil ymweliad cofiadwy a theimladwy i feysydd cad y Rhyfel Byd Cyntaf. Roedd o wedi ennill y trip i'w ddosbarth cyfan yng nghystadleuaeth yr Hanesydd Ifanc.

Ysbrydolwyd ei brosiect buddugol gan chwaraewr rygbi enwog o Gaerdydd a ymddangosodd fel ysbryd i Owain a rhoi help defnyddiol iawn iddo.

Doedd Owain ddim wedi disgwyl cyfarfod Johnnie L.

Williams eto, ond yn ddiweddar, roedd breuddwydion Owain wedi ymdebygu i benodau lliwgar o straeon rhyfel Johnnie.

Doedd y gallu i weld a siarad gyda'r meirw ddim yn rhywbeth oedd yn gwneud fawr o synnwyr i Owain. Doedd o ddim wedi credu mewn ysbrydion mewn gwirionedd, ond rŵan roedd o'n ffrindiau gyda dau ysbryd – Dic a Johnnie – a doedd o'n gweld dim byd yn rhyfedd yn hynny. Bu farw Dic Gordon pan wnaeth sgrym ddymchwel ar ei ben ym Mharc yr Arfau nifer o flynyddoedd yn ôl; dim ond saith ar hugain oedd o pan fu farw, a bellach roedd o'n fentor gwirioneddol i Owain – yn enwedig gyda'i sgiliau rygbi.

Wyddai Owain ddim pam roedd ganddo'r gallu arbennig yma, ond roedd ei ffrind Alun wedi medru gweld Johnnie hefyd, yn ystod moment o berygl mawr y tymor diwethaf, a wyddai Owain ddim a oedd gan hynny unrhyw beth i'w wneud â'r ffaith fod Alun bellach yn medru gweld yr ysbryd.

Rhedodd Owain i lawr y grisiau i'r gegin, lle roedd ei fam wrthi'n rhofio pentwr mawr o gig moch a selsig ar blât.

'A, ti jest mewn pryd, Owain,' gwenodd. 'Ro'n i ar fin gweiddi arnat ti eto.'

'Ddrwg gen i, Mam,' atebodd. 'Mae'n rhaid i mi fynd i gyfarfod Dylan yn y cae i chwarae rhywfaint o rygbi. Ond cadwch hwnna i mi, plis,' meddai gan fachu un selsigen oddi ar y plât a rhuthro trwy'r drws.

Rhedodd Owain i lawr y ffordd fer i gae Dreigiau Dolgellau lle roedd ei ffrind, Dylan, yn aros amdano'n ddiamynedd.

'Wyddost ti faint o weithiau dwi wedi cicio'r wal yma?' gofynnodd.

'Wyth deg tri?' gwenodd Owain.

'Dydi o ddim yn ddoniol. Drycha'r golwg sydd ar fy mŵts i! Lwcus 'mod i'n cael pâr newydd ar gyfer fy mhen-blwydd wythnos nesa,' meddai Dylan.

'Ofynnodd neb i ti gicio'r wal,' atebodd Owain. 'Pam na wnest ti rywbeth defnyddiol fel chwalu'r danadl poethion o'r cae?'

'A, wnewch chi'ch dau byth stopio cecru,' chwarddodd Bryn, gofalwr Dreigiau Dolgellau. 'Ac wyt ti'n galw'r pethau yna'n "fŵts"?' ychwanegodd. 'Gofyn i dy daid ddangos pâr o fŵts i ti, Owain. Dyna beth oedd bŵts go iawn.'

Gwenodd Owain a nodio ar yr hen Bryn. 'Dwi ddim yn meddwl bod ei hen fŵts gan Taid bellach, ond dwi wedi'u gweld mewn lluniau. Pethau mawr, trwm, fel bŵts cerdded oedden nhw, 'te?'

'Ia wir. Roedden ni'n eu defnyddio nhw ar gyfer bob math o chwaraeon, ac unwaith roedd traed rhywun wedi stopio tyfu, rheini oedd eich bŵts am oes,' dywedodd yr hen ŵr. 'Allech chi gymryd cic rydd neu gic gosb rygbi o unrhyw le gyda bŵts fel'na.'

Chwarddodd y bechgyn gyda Bryn, fu'n galon y clwb ers cyn cof. Roedd Owain a Dylan wedi bod yn ymarfer pêl-droed drwy gydol yr haf, ond bob bore am y mis diwethaf roedden nhw wedi dechrau ymarfer ychydig o rygbi ar eu pennau eu hunain. Roedd un neu ddau o'r Dreigiau wedi mwmial wrth Bryn na ddylid chwarae rygbi ar gae pêl-droed, ond roedd o wedi dweud wrthyn nhw am feindio'u busnes, a bod yr ymarfer yn helpu'r bechgyn gyda'u sgiliau gyda'r bêl gron hefyd.

Ciciodd Owain y bêl i'r entrychion a brysiodd Dylan ar ei hôl fel ci bach gwallgof. Rhedodd un ffordd, ac ochrgamu cwpwl o weithiau, gan geisio mynd o dan y bêl wrth i awel gref blycio ynddi wrth iddi ddisgyn tua'r ddaear. Ar yr eiliad olaf, roedd hi fel petai hi'n crwydro ymhellach, ond deifiodd Dylan yn ei flaen a dal y bêl cyn iddi fwrw'r ddaear.

'Iei!' rhuodd. 'Ac mae Dolgellau wedi ennill y Lludw!'

Chwarddodd Owain. 'Ella gwnei di gricedwr da, ond os mai gêm rygbi fyddai hon, fyddet ti eisoes wedi cael dy gladdu o dan bump neu chwech o flaenwyr mawr.'

Aeth y bechgyn drwy ychydig o symudiadau cyn i Owain dreulio chwarter awr olaf eu sesiwn yn cicio am y gôl, tra oedd Dylan yn hapus i redeg o gwmpas yn casglu'r bêl.

'Bob dim yn barod ar gyfer wythnos nesa?' gofynnodd Owain i'w ffrind.

'Ydi, mae'r wisg ysgol yn dal i fy ffitio i, sydd 'chydig yn ddigalon,' atebodd Dylan, oedd wastad wedi bod yn un bach eiddil.

'Wel, fyddi di'n iawn felly, a dwi'n amau y gwnei di dyfu fodfedd yn dalach bellach,' tynnodd Owain ei goes, cyn gwibio heibio Dylan wrth iddo geisio rhoi swadan iddo.

'Tyrd yn ôl i fan'ma, y lembo,' rhuodd Dylan, wrth iddyn nhw garlamu o'r cae, gan chwerthin bob cam.

PENNOD DAU

'Mae'n edrych fel bod Dylan wir wedi setlo bellach,' cyhoeddodd mam Owain ar ôl te.

'Do, mae'n siŵr ei fod o,' meddai Owain. 'Mae o wedi bod mewn hwyliau da iawn byth ers i'r hen fusnes yna efo'i dad gael ei ddatrys. Mae o wedi gallu symud ymlaen ac mae cael ei gwmni dros yr haf wedi bod yn hwyl.'

Roedd Owain a Dylan wedi cael eu dal mewn digwyddiad dramatig yn ystod gêm Cwpan Carwyn James ym Mharc yr Arfau y tymor diwethaf, ond roedden nhw wedi llwyddo i ddianc heb iddyn nhw fod damed gwaeth.

'Dwi'n siŵr bod hynny wedi bod yn goblyn o ryddhad iddo,' ychwanegodd ei fam.

'Ydi, beryg,' atebodd Owain, cyn troi at ei dad. 'Wnaethoch chi erioed sylwi nad ydi Mam yn un am ofyn cwestiynau?' gwenodd. 'Mae hi jest yn gwneud gosodiad a disgwyl i rywun wneud sylw, fel petai hi ar un o'r sioeau teledu 'na am wleidyddiaeth neu rywbeth ...'

Chwarddodd ei dad. 'Wel, rŵan dy fod ti'n sôn ...' dechreuodd yn ofalus.

Rhoddwyd taw arno pan hedfanodd lliain sychu llestri tuag ato wrth i Mrs Morgan neidio ar ei thraed fel peth gwyllt.

'Paid ti â meiddio, ŵr ifanc, yn enwedig a finna newydd goginio pryd hyfryd o fwyd i ti hefyd!'

'Mae'n ddrwg gen i, Mam, dim ond cael hwyl oeddwn i. Ond baswn i bendant yn gwylio petaet ti ar y teledu!' atebodd

Owain, gan ddianc wrth i liain sychu llestri arall hedfan tuag ato.

Carlamodd i fyny'r grisiau i'w stafell wely i ganol y llanast. Roedd y rhan fwyaf o'i ddillad ar y gwely, ac roedd ganddo sach blastig fawr lle bu'n taflu hen deganau a llyfrau roedd o eisiau eu gwaredu. Roedd llyfrau newydd ar y pynciau oedd o ddiddordeb iddo rŵan – rygbi, ysbrydion a hanes – wedi disodli'r hen lyfrau stori yr arferai eu darllen yn y gwely.

Cydiodd mewn llyfr hyfforddi roddodd ei daid iddo ar ei ben-blwydd ac astudiodd un o'r deiagramau. Un peth oedd gweld symudiad slic fel yna'n cael ei ddarlunio ar dudalen, ond pa obaith oedd gan dîm Craig-wen o'i berfformio? Fel roedd yr hen hyfforddwr Mr Mathews yn arfer ei ddweud, 'Cadwch bethau'n syml'.

Gorweddodd i lawr a syllu ar y nenfwd. Roedd hi'n rhyfedd meddwl sut oedd y ddwy flynedd gyntaf yng Nghraig-wen wedi mynd. Roedd ganddo ofn drwy waed ei galon ar y dechrau, ac roedd y ffaith ei fod wedi gorfod dechrau chwarae rygbi wedi ychwanegu at ei hunllefau yn ystod yr wythnosau cyntaf yn yr ysgol breswyl. Ond yn rhyfedd iawn, chwarae'r gêm oedd wedi'i helpu i setlo a gwneud ffrindiau yn ystod y cyfnod hwnnw. Bellach, dyna'i brif ddiddordeb ac roedd pawb yn dweud ei fod wedi datblygu i fod yn eithaf chwaraewr hefyd.

Ond roedd hon yn mynd i fod yn flwyddyn fawr yng Nghraig-wen. Daeth Brython, capten tîm y Cwpan Iau, ato ar yr iard jest cyn gwyliau'r haf a dweud wrtho ei fod eisiau iddo fod yn rhan o'i sgwad. Roedd Owain wedi cynhyrfu wrth feddwl am chwarae mewn cystadleuaeth enfawr fel yna, a gwyddai pa mor ddifrifol roedden nhw'n ystyried cael chwarae i dîm iau yr ysgol.

Roedd hi hefyd yn ddechrau'r flwyddyn dewis pynciau, a bu ei fam yn pregethu wrtho drwy'r haf pa mor bwysig oedd hi i wneud yn dda yn yr arholiadau, a sut y byddai'n rhaid iddo weithio'n gyson am ddwy flynedd ar ôl hynny. Cadwodd yn dawel am ddiwrnod neu ddau wedi i'w adroddiad ysgol gyrraedd, ond buan y dechreuodd hi bigo tyllau yn ei ganlyniadau a dangos iddo lle y byddai'n rhaid iddo droi'r B meinwsus yna yn B plws.

Chwarddodd Owain, gan ei fod yn dal i ryfeddu at ba mor bositif oedd ei adroddiad, ond roedd o'n amau mai ennill cystadleuaeth genedlaethol yr Hanesydd Ifanc greodd argraff dda ar ei athrawon. Roedd y cyfan hyd yn oed yn fwy doniol o gofio sut diflasai'r pwnc ef yn yr ysgol gynradd ac mai dysgu mwy am y gorffennol drwy ei ffrindiau ysbryd a daniodd ei ddiddordeb newydd.

Tybed wnawn nhw roi prosiect arall i ni 'leni? meddyliodd. *Byddai dim ots gen i gael rhywbeth fel'na i 'nghadw i'n brysur.*

Rhannodd weddillion ei hen bethau rhwng bocs cardfwrdd roedd o am ei storio yn yr atic, a'r sach blastig oedd yn mynd i'r siop elusen. Roedd rhaid iddo wneud penderfyniadau anodd a sylweddolodd nad oedd ganddo syniad beth yr hoffai gadw er mwyn ei atgoffa o'i blentyndod. Edrychodd o'i gwmpas a phenderfynu peidio meddwl gormod am y peth; dechreuodd roi'r cofroddion mewn pentyrrau 'cadw' neu 'golli' ar fympwy.

PENNOD TRI

Hedfanodd dyddiau olaf o ryddid y gwyliau, fel y gwnaent bob amser. Stwffiodd Owain ei lyfrau i'w fag ysgol a gwasgu'i gêr chwaraeon i'r sgrepan tîm rygbi gogledd Cymru a gafodd yn anrheg gan ei rieni, wedi iddyn nhw gipio'r cwpan cenedlaethol. Roedd ei fam wrthi'n plygu ei iwnifform ysgol a'i ddillad bob dydd i mewn i gês mawr, wedi iddi eu smwddio'n ofalus.

'O, paid â smwddio'r sanau, Mam. Mae'r hogia'n rhoi amser caled i mi am hynna,' dywedodd.

Gwenodd hithau. 'Paid â phoeni am hynny. Mae edrych yn smart yn beth braf, er mae'n siŵr na fyddai dy ffrindiau di'n sylwi. Wyt ti wedi pacio bob dim?'

'Do, dwi'n meddwl,' atebodd Owain. 'Dwi jest am biciad i ddweud hwyl fawr wrth Taid.'

'Mae o wedi arbad siwrna i ti, dwi'n credu,' atebodd hithau, gan bwyntio drwy'r ffenest, lle safai'r enwog Dewi Morgan, taid Owain, yn codi'i law arnyn nhw.

Taflodd Owain y ddau fag dros ei ysgwydd a bustachu i lawr y grisiau ac allan i'r car.

'Helo 'ngwas i,' meddai Taid. 'Barod am Graig-wen?'

'Ydw, beryg,' dywedodd Owain. 'Ydych chi am ddod efo ni am dro?'

'Baswn i wrth fy modd, ond does 'na ddim digon o le, rhyngddat ti a dy ffrind a'r holl fagiau 'na.'

'O, roeddwn i wedi anghofio bob dim am Dylan. Lle mae o?' gofynnodd Owain gan edrych drwy'r giât.

'Dwi wedi rhoi caniad i'w fam o,' meddai tad Owain. 'A phiciwn ni heibio'i dŷ i'w nôl o.'

'Wel, Owain, dwi'n gobeithio na fydd y flwyddyn ysgol yma mor ddramatig â'r llynedd,' meddai ei daid. 'Er 'mod i'n gobeithio cawn ni drip arall i Barc yr Arfau.'

'Wel, baswn i ddim yn codi 'ngobeithion, Taid. Fydda i'n lwcus iawn i hyd yn oed gyrraedd panel y Cwpan Iau. Does na neb o 'mlwyddyn i erioed wedi llwyddo. Ro' i gynnig arall arni ar ôl y flwyddyn yma, cofiwch, felly cadwch yn iach er mwyn i chi ddod i'r gêm.'

Chwarddodd Dewi Morgan a gwthio arian i boced Owain.

Gwenodd Owain a chofleidio'r hen ddyn. 'Diolch, Taid. Dwi wedi bod eisiau crys rygbi newydd Cymru ers talwm. Mi alla i brynu un rŵan.'

'Fedri di ddim aros nes cei di dy ddewis ganddyn nhw? Gei di lwythi o grysau am ddim wedyn!'

Chwarddodd Owain yn uchel. 'Diolch, Taid – dim pwysau 'ta!'

Wedi i'r holl fagiau gael eu llwytho i gist y car, trodd Owain i roi un goflaid olaf i'w fam cyn sboncio i'r sedd flaen ar bwys ei dad.

'Wela i chi dros Galan Gaeaf!' gwaeddodd wrth i'r car dynnu allan o'r dreif a throi tua chanol tref Dolgellau.

'Mae o'n grêt bod Dylan yn dychwelyd i Graig-wen,' meddai ei dad. 'Ddylai o fod yn dipyn hapusach yno 'leni hefyd.'

'Gobeithio,' atebodd Owain. 'Mae o wedi bod mewn hwyliau da iawn drwy'r haf ac mae o'n awyddus ofnadwy i fynd 'nôl. Gobeithio gallwn ni gadw'r rygbi i fynd hefyd.'

'Ia. Dwi'n siŵr bydd hi'n reit anodd 'leni gan byddi di'n gwneud dy orau i ymuno efo sgwad y Cwpan Iau. Wnaiff unrhyw un o'r hogia eraill godi cynnen?' gofynnodd Dad.

'Anodd gwybod. Mae cefnwyr y sgwad yn reit wan, felly ella caiff Richie Duffy ei alw i fyny hefyd, ac ella Mickey Roberts? Ond mae Dylan yn dal i fod yn fychan iawn ...' mentrodd Owain.

'A dyma fo'r dyn ei hun,' meddai Mr Morgan, wrthi iddo dynnu i fyny ar bwys y pafin. Roedd Dylan yn sefyll y tu allan i'r tŷ lle roedd o'n byw gyda'i fam a'i chwaer Cadi.

'S'mai, Mr Morgan?' gwaeddodd Dylan, wrth iddo ddechrau llusgo ei fagiau ar draws y llwybr tua'r car.

Camodd tad Owain i helpu Dylan, tra trawodd Owain ei ben heibio'r drws.

''Dan ni'n mynd, Mrs Jones,' gwaeddodd wrth i fam a chwaer Dylan ymddangos yn y cyntedd. Roedd Cadi yn cario hambwrdd.

'Dwi wedi coginio rholiau selsig i chi ar gyfer y daith,' meddai.

'O, mae hynna'n ffantastig!' meddai Owain. 'Ti'n seren, Cad!'

Gwridodd chwaer Dylan. 'Mae 'na ddwy bob un – paid â gadael i Dylan gael mwy. Mae o wedi bod yn 'u dwyn o'r popty drwy'r bore.'

Cydiodd Owain yn y rholiau selsig, codi llaw ar y ddwy, a neidio yn ôl i mewn i'r car, tra oedd Dylan yn rhoi coflaid i'w fam a'i chwaer.

'Byhafia, gweithia'n galed a chadwa mewn cysylltiad,' oedd gorchmynion olaf ei fam wrth iddo gau'r ffenest ac wrth i'r car chwyrnellu i gyfeiriad Caerdydd.

PENNOD PEDWAR

Roedd y noson gyntaf ar ôl gwyliau'r haf bob amser yn gyffrous i Owain a'i ffrindiau. Pa lofft roedden nhw wedi'i chael oedd y peth pwysicaf i'w ddarganfod ac roedd Owain wrth ei fodd ei fod yn mynd i fod yn rhannu gyda Rhodri, Alun a Dylan unwaith eto, mewn llofft lai ac ynddi bedwar gwely.

'Hei, Morgan, mae 'na ogla buarth fferm mwya ofnadwy arnat ti,' daeth llais o dan y gwely roedd o wedi'i hawlio.

'Alun, paid â deud wrtha i dy fod ti wedi colli dy lygoden eto?' gofynnodd Owain.

Cododd Alun. 'Na, a diolch am godi'r peth. Wnaeth hi redeg i ffwrdd dros yr haf. Dwi'n meddwl bod y gath wedi'i chael hi. Na, roeddwn i o dan y gwely'n bwrw golwg ar y trapddrws od yr olwg 'ma – weli di o?'

Craffodd Owain o dan y gwely, ac roedd yno dwll sgwâr yn y styllod pren. Roedd Alun yn ceisio'i agor, ond edrychai fel ei fod wedi'i beintio ynghau gan nifer o gotiau o farnais.

'O wel, roeddwn i'n meddwl ella bod 'na goridor cudd fydden ni wedi gallu ei ddefnyddio i fachu bwyd o'r gegin yn ystod y nos,' ochneidiodd.

'Dal i feddwl am dy fol, Al?' chwarddodd Dylan. 'Est ti i'r gampfa o gwbwl dros yr haf?'

Gwgodd Alun ond camodd Owain rhyngddyn nhw. 'Gad lonydd iddo fo, Dyl. Roeddet ti'n llowcio rholiau selsig dy hun gynna.'

Chwarddodd Dylan eto. 'Dim ond tynnu coes, hogia. Dydi

17

hi'n grêt ein bod ni i gyd yn ôl efo'n gilydd yma! Tybed efo pwy mae Cefin a Ffrancon yn rhannu?'

'Maen nhw drws nesa gyda Huw Bowen a Pedr Hickey,' atebodd Alun. 'Mae hi'n swnio fel stafell hwyliog i fod ynddi.'

'Cyn belled â'u bod nhw ddim yn gwneud gormod o dwrw,' meddai Owain. 'Dwi wedi treulio'r rhan fwya o'r haf yn cysgu. Dwi wedi mynd i hoffi cael cyntun. Mae Mr Charles yn dweud eu bod nhw'n hanfodol ar gyfer y chwaraewyr gorau.'

Hawliodd Owain wely ger y drws a gorwedd i lawr. Dim ond am funud y cafodd o lonydd fodd bynnag, wrth i grys-T hedfan ar draws y stafell a glanio reit yng nghanol ei wyneb.

'Ych, mae hwnna'n drewi!' llefodd.

'Ddrwg gen i, Owain! Wnes i fenthyg hwnna gen ti tymor dwytha,' meddai Rhodri. 'Mae o wedi bod yng ngwaelod fy mag i byth ers hynny. Ro'n i wedi bwriadu gofyn i Mam ei olchi fo droeon ond ...'

Teimlai Owain fel ffrwydro, ond roedd o wedi dysgu ei bod hi'n well peidio ymateb pan fyddai'n teimlo felly. Trodd ei gefn ar Rhodri a'i anwybyddu.

'Ocê, dim problem, Rhodri, ond mae hi'n amlwg nad ydw i'n mynd i gael fawr o gwsg yn fan'ma,' brathodd Owain wrth iddo daranu allan drwy'r drws.

Brysiodd i lawr y grisiau, ond daeth i stop pan welodd Mr Charles, yr hyfforddwr rygbi, yn dod i fyny i'w gyfarfod.

'Cymer bwyll, Morgan,' meddai'r athro. 'Allet ti fod wedi 'nhaflu fi ar fy hyd.'

'Mae'n ddrwg gen i, syr,' atebodd.

'Ar fy ffordd lan i dy weld di oeddwn i. Sut wyt ti'n teimlo am ymarfer gyda sgwad y Cwpan Iau 'leni?'

'Em …wel, iawn am wn i,' baglodd Owain dros ei eiriau.

'Ddywedodd Brython Siôn – fe yw capten y tîm iau – wrtha i ei fod e moyn ti ar y tîm. 'Wy ddim yn siŵr am hynny. Ti'n dal yn ifanc iawn ac ychydig bach yn ddibrofiad ond 'wy'n hapus i roi cyfle i ti hyd y Nadolig. Mae'n siŵr y gall y tîm o fois dan 14 oed fod hebddot ti, ond falle bydd rhaid i ti chwarae rhywfaint o gemau ychwanegol. Ddylai hynny ddim fod yn broblem gan nad oes 'da ti unrhyw arholiadau TGAU 'leni. Wyt ti'n hapus gyda hynna?'

Er bod Owain yn gwybod bod Brython eisiau iddo ymarfer gyda'r tîm iau, bwriodd cais Mr Charles ef oddi ar ei echel. Doedd o ddim wedi disgwyl cael ei alw i ymarfer gyda nhw mor gynnar a doedd o ddim yn teimlo'n sicr o gwbl am y datblygiad.

'Wrth gwrs, ia,' meddai Owain. 'Pryd maen nhw'n ymarfer?'

'Ry'n ni'n dechrau ar ôl ysgol fory am ddwy awr, yna mae e'n awr bob diwrnod a dwy awr ar fore dydd Sadwrn, os nad oes gen ti gêm. Ti'n cael dydd Sul yn rhydd. Mae'n siŵr gwnawn ni ddechre'r sesiynau cynnar ar ôl y Nadolig.'

Agorodd Owain ei geg, ond wyddai o ddim beth i'w ddweud. Dim ond nodio wnaeth o cyn cario ymlaen i lawr y grisiau ac allan drwy'r drws ffrynt.

Brasgamodd i'w hoff le yng Nghraig-wen, y gornel ddiarffordd o'r goedwig, lle byrlymai ffrwd fechan heibio i garreg fawr wen. Hoffai Owain eistedd ar y garreg a meddwl. Roedd hi'n hafan brin o dawelwch yng nghanol prysurdeb yr ysgol breswyl.

Doedd neb ar y garreg; doedd Owain erioed wedi gweld

neb yn y rhan yma o'r ysgol, heblaw am ei ffrindiau ysbryd Dic a Johnnie, oedd fel petaen nhw'n cael eu denu i'r fan. Meddyliodd Owain am hynny – oedd yna rywbeth am y fan hon roedd ysbrydion yn ei hoffi? Roedd yno awyrgylch wahanol iawn i weddill yr ysgol, yn bendant.

Roedd hi'n noson gynnes ac roedd Owain yn flinedig ar ôl ymdrechion a chyffro'r dydd. Eisteddodd ar ei hoff garreg a chau ei lygaid. Roedd hi'n braf cael amser iddo'i hun. Meddyliodd yn ôl i'r tro diwethaf y bu yma a ...

'*Crac!*'

Dihunwyd Owain o'i feddyliau gan sŵn uchel – bron fel ergyd gwn.

'*Crac!*'

Dyna fo eto, ac roedd o hyd yn oed yn agosach y tro yma. Roedd o'n siŵr mai ergyd gwn oedd o.

Rhedodd Owain allan o'r ardal fach goediog, wedi dychryn. Edrychodd o'i gwmpas, ond allai o ddim dirnad beth oedd wedi achosi'r sŵn. Swniai fel petai wedi dod o gyfeiriad yr ysgol. Trodd tua blaen yr hen adeilad llwyd a rhedeg fel y gwynt.

Unwaith cyrhaeddodd o'r drws, oedodd ac edrych yn ôl, ond doedd dim golwg o'r saethwr. Anadlodd Owain yn ddwfn i geisio sadio'i hun ar ôl y profiad brawychus. *Ai dychmygu hynna wnes i?* meddyliodd. *Fyddai Mr Hopcyn yn meddwl 'mod i'n dweud celwydd?*

Penderfynodd Owain gadw'r cyfan iddo'i hun ac ymlwybrodd yn nerfus i fyny'r grisiau.

PENNOD PUMP

Os oedd y noson gyntaf yn y llofft yn gyffrous, nid oedd yr un peth yn wir am ddiwrnod cyntaf y dosbarthiadau. Efallai bod darganfod pwy oedd bob un o'u hathrawon newydd damed bach yn ddiddorol, ond buan diflasodd y bechgyn ar newydd-deb y peth, yn enwedig gan fod cymaint o'r athrawon mor awyddus i ddechrau gweithio'n syth.

'Bydd rhaid i mi gael golwg ar sut rydych chi i gyd wedi bod yn gwneud dros y flwyddyn ddiwethaf, meddai Mr Madog, yr athro Cymraeg. 'Felly gawn ni brawf bach dydd Gwener.'

Griddfanodd y dosbarth. Efallai eu bod wedi dychwelyd i'r ysgol, ond roedd meddyliau llawer ohonyn nhw yn dal i fod adref neu ar eu gwyliau. Byddai'n galed canolbwyntio ar arholiad yn yr wythnos gyntaf – ond efallai mai dyna oedd syniad Mr Madog.

Llusgodd y diwrnod cyntaf fel prynhawn Sul gwlyb ym mis Chwefror. Ond roedd Owain yn hapus gyda hynny, gan ei fod yn eithaf nerfus am sesiwn ymarfer y tîm iau – ac am ddweud wrth weddill ei gyd-aelodau ar y tîm dan 14 oed na fyddai o'n gweld llawer ohonyn nhw eleni.

Wedi i'r wers orffen, casglodd Owain ei git rygbi a cherdded linc-di-lonc allan o'r dosbarth.

'Dal dy afael, Owain – ble ti'n mynd?' gofynnodd Rhodri.

'Mae gen i ymarfer rygbi,' atebodd.

Edrychodd Rhodri yn ddryslyd. 'Ond ddywedon nhw na fydden ni'n dechrau tan wythnos nesa.'

'Mae Mr Charles eisiau i mi ymarfer gyda'r tîm iau,' mwmialodd.

Oedodd gweddill ei ffrindiau a rhythu.

'Alli di ddim! Dim ond ym Mlwyddyn Naw wyt ti – dydi Blwyddyn Naw byth yn ymarfer gyda'r tîm iau,' meddai Alun.

'Na, dydi o ddim mor anarferol â hynny,' meddai Owain yn gelwyddog. 'A beth bynnag, ella na ddaw dim o'r peth. Maen nhw'n sgwad gweddol dda 'leni, dwi'n meddwl.'

'Ond beth am ein tîm?' gofynnodd Dylan. 'Byddwn ni'n dda i ddim hebddot ti!'

'O, tyrd 'laen, all Richie Duffy lenwi'r bwlch i mi, a fydda i'n gallu chwarae llawer o'r gemau p'run bynnag, siŵr o fod. Well i mi roi tân dani. Wyddoch chi sut gall Charles fod os ydach chi'n hwyr!'

Brysiodd Owain draw i'r stafell newid a dilyn gweddill y chwaraewyr i mewn. Roedd o'n adnabod llawer ohonyn nhw ond ddwedodd neb air wrtho. Edrychodd o'i gwmpas yn daer am y capten, Brython Siôn, ond doedd dim sôn amdano.

Dydyn nhw ddim yn griw cyfeillgar iawn, ydyn nhw? meddyliodd wrtho'i hun.

Gwisgodd ei git a chrwydro y tu allan, lle roedd Brython yn siarad gyda Mr Charles. Brython oedd seren y sgwad iau, ac roedd o flwyddyn yn hŷn nag Owain.

'A, Owain, diolch am ddod. Roeddwn i wrthi'n trafod beth i'w wneud 'da ti gyda Mr Charles. Mae 'da ni sgwad mawr y flwyddyn yma, ond does 'da ni neb allai gamu i safle'r maswr pe digwyddai rhywbeth i Rolant. Rydym ni'n mynd i gael treial heddiw, felly wnawn ni dy slotio di i mewn fel mewnwr ar gyfer y rhan gynta ac yna dy ffeirio di gyda Prysor ar gyfer yr ail. Ydy hynny'n iawn?'

Nodiodd Owain, ac yn sydyn roedd o ar bigau'r drain. Roedd o'n ddigon mawr ar gyfer ei oedran, ond edrychai'r bechgyn yma'n dipyn mwy na'r bechgyn yn ei hen dîm a'r rhai o'r ysgolion eraill roedden nhw wedi chwarae yn eu herbyn. Byddai'n rhaid iddo fagu nerth.

Ymunodd gyda bechgyn y Bs a gwisgo un o'r bibiau melyn roedd Mr Charles wedi'u rhoi ar y llawr. Cyflwynodd ei hun i'r maswr Prysor, a'r mewnwr Gaf, ond y cwbl wnaethon nhw oedd edrych arno gan godi'u hysgwyddau'n ddi-hid. Crwydrodd i'w safle ar gyfer dechrau'r gêm.

Wrth i'r treial fynd yn ei flaen, ymgollodd Owain fwy yn y gêm, er nad oedd gan Prysor fawr o ddiddordeb mewn pasio'r bêl iddo, felly roedd yn rhaid iddo chwilio amdani ei hun. Roedd y safon ychydig yn uwch na'r hyn roedd Owain wedi arfer ag o, ond ddim mor uchel fel ei fod o'n teimlo allan o'i ddyfnder. Cafodd ychydig o gyfleoedd i redeg a phasiodd y bêl yn dda hefyd.

'Ymdrech dda, Morgan,' meddai Mr Charles yn ystod hanner amser. 'Ffeiria gyda Woods a gad i ni weld beth alli di wneud yn safle'r 10.'

Roedd golwg o ddifri ar wyneb Prysor Woods wrth iddo basio'r bêl i Owain. Plygodd ymlaen i sibrwd yn ei glust. 'Reit boi, 'wy moyn digon o'r bêl yn yr hanner yma, felly paid â thrio gwneud dim byd clyfar.'

Roedd yr As ar y blaen o 10 pwynt erbyn hanner amser, ac fe wnaethon nhw ymestyn hynny gyda throsgais arall yn gynnar yn yr ail hanner. Roedden nhw'n dipyn gwell tîm na'r Bs, fel byddai rhywun yn ei ddisgwyl, ond roedd yna ychydig o chwaraewyr y Bs oedd yn gweithio'n galed i greu argraff.

Un ohonyn nhw oedd Gaf, y mewnwr, a roddai'r argraff ei fod yn ffrind i Prysor, ond roedd rhywbeth yn ei boeni. Doedd o ddim am i Owain wneud yn dda, ond petai o'n dechrau taflu'r bêl allan yn wyllt i Owain yn safle'r maswr, byddai ef ei hun yn edrych yn wael, felly penderfynodd adael i Prysor sortio'i botes ei hun.

Doedd Owain heb weld fawr o'r bêl, ac roedd y gêm yn dod i'w therfyn anochel, pan gafodd Gaf un foment wych. Ciciodd y bêl dros amddiffyn yr As, cyn cydio ynddi wrth iddi fownsio a mynd fel mellten i lawr i'r 22. Lloriwyd ef gan y cefnwr ond wrth iddo droi i ollwng y bêl, rhuthrodd Owain i fyny'r tu ôl iddo a'i dal yn lân, cyn iddo ochrgamu heibio canolwr yr As a deifio o dan y pyst.

Dyna unig foment hudol yr holl gêm. Wedi'r chwiban olaf, ymddangosai Mr Charles yn fwy brwdfrydig am hynny na buddugoliaeth gyffyrddus yr As. 'Symudiad taclus, Gaf, wedi'i chefnogi'n dda, Owain.'

Gwenodd Brython wrth iddyn nhw ysgwyd llaw ar y diwedd. 'Wnaiff hynna roi ambell ben tost i Mr Charles.'

PENNOD CHWECH

Roedd Owain yn hapus gyda'r ffordd y chwaraeodd o – roedd o'n sicr ei fod wedi bod yn well na Prysor Woods – ond doedd o ddim wedi mwynhau cymaint â phan roedd o'n chwarae gyda'i ffrindiau, a gwyddai na fyddai o'n gallu cymryd rheolaeth o'r gemau yn ôl ei arfer. Roedd y tîm o chwaraewyr dan 14 oed yn ei chael hi'n anodd hebddo ac roedd bob un o'u gemau fel petaen nhw'n gwrthdaro gyda sesiynau ymarfer neu gemau'r tîm iau.

Roedd bwli'r dosbarth, Richie Duffy, yn gandryll bod Owain wedi cael ei ddyrchafu'n seren y tîm, er bod hynny'n golygu y gallai chwarae yn safle'r maswr eto, yn absenoldeb Owain. Ond roedd Owain yn poeni mwy bod Rhodri – a Dylan, yn enwedig – yn dechrau teimlo'n ddig am nad oedd o yno i'w helpu.

''Drychwch, mae'n ddrwg gen i, hogia!' ceisiodd egluro wrth iddyn nhw segura yn y drws. 'Dwi ddim ar dân eisiau chwarae i'r tîm iau 'leni, ond alla i ddim dweud hynny wrth Charles. A fedra i ddim chwarae'n wael ar bwrpas.'

'Ond alli di ddim smalio dy fod ti wedi brifo a gofyn a gei di chwarae i'r sgwad dan 14 oed tra dy fod ti'n gwella?'

'Wnei di wrando arnat ti dy hun?' chwarddodd Owain. 'Sut gallwn i fod wedi fy anafu ar gyfer un tîm ond yn gallu chwarae i'r llall?'

'Wel ...'

'Drychwch, beryg na cha i fawr o gyfle i chwarae, felly ella gwnawn nhw benderfynu y byddai'n well i mi gael amser ar y cae gyda'r sgwad. Ond dydw i ddim yn mynd i dynnu allan dim ond am eich bod chi'n meddwl eich bod chi'n angen i.'

'Mae Owain yn iawn,' meddai Alun. 'Bydd rhaid i chi stopio cwyno – mae o fel eich bod chi'n credu ei bod hi wedi canu ar y tîm jest am nad ydi Owain yn chwarae. Man a man i chi roi'r gorau i chwarae rygbi'n llwyr.'

'Wel, ella gwna i,' cwynodd Rhodri.

'Gwrandewch, dydw i ddim wedi chwarae gyda Owain ers ei gêm gynta un yn yr ysgol,' atebodd Alun. 'Ond bob wythnos, dwi'n mynd allan a dwi'n ceisio gwella ac ella, rhyw ddiwrnod, ddo i oddi ar y 3ydd tîm, ac yna ella gwna i chwyrlïo drwy'r ail a chyrraedd y tîm iau flwyddyn nesa. Dyna ydi'r peth am rygbi ac unrhyw chwaraeon – mae'n rhaid i chi freuddwydio.'

Chwarddodd gweddill y bechgyn am ben Alun, gan mai fo'n sicr oedd y chwaraewr gwaethaf yn y flwyddyn gyfan.

'Ti'n iawn, Al,' dywedodd Rhodri. 'Jest dydi o ddim hanner cymaint o hwyl pan ti'n colli drwy'r amser.'

Trodd Dylan at Owain. 'Pa siawns sydd gen i a Rhodri o gael ein galw i fyny i'r sgwad iau?' gofynnodd.

'Wn i ddim,' atebodd Owain. 'Mae ganddyn nhw gwpwl o asgellwyr chwith da, ond mi faswn i'n dweud y bydd Charles yn cadw llygaid arnoch chi. Mae'r ddau fachgen sy'n chwarae rhan y mewnwyr yn ardderchog – bydd hi'n galed torri trwodd yn fan'na … ddrwg gen i,' meddai wrth Rhodri.

'Does dim angen i ti ymddiheuro, wn i pwy ydyn nhw – a ti'n iawn,' atebodd Rhodri. 'Ac mi ddaw fy nghyfle i rhyw ddiwrnod.'

'Beth bynnag, beth arall sy'n digwydd? Dwi'n dechrau diflasu ar gysgu-ysgol-rygbi-cysgu,' meddai Owain.

'Fawr o ddim,' dywedodd Alun. 'Er wnes i ddod ar draws Mr Mathews ac roedd o'n dal i sôn am y trip i Wlad Belg. Roedd o'n styried beth fyddet ti am ei wneud 'leni.'

Griddfanodd Owain. 'O na, dwi'n gobeithio nad ydi o eisiau i ni ymgeisio am wobr yr Hanesydd Ifanc eto. Roedd ei hennill hi'n grêt, ond roedd yr holl beth yn ormod o straen. Gen i ddigon ar fy mhlât efo'r rygbi a bob dim.'

'Digon teg, mae o'n fynydd o waith. Ond ddywedodd o wrtha i am ddweud wrthat ti y byddai o'n dy weld ti dydd Gwener – mae o'n mynd â ni allan am y bore ar drip i gofeb ryfel y Cymry, yng ngerddi Alexandra, Parc Cathays.'

'Pam mae o'n mynd â ni fan'na tybed?' gofynnodd Owain.

'Dim syniad. Ond gwnawn ni weld yn ddigon buan, mae'n siŵr ...'

PENNOD SAITH

Roedd Mr Mathews wedi dysgu hanes am ddeugain mlynedd yng Nghraig-wen ac roedd o'n dal i helpu allan ers iddo ymddeol. Roedd o'n hen gyfaill da iawn i daid Owain a bu'n garedig iawn wrth Owain yn ystod ei flwyddyn gyntaf yn yr ysgol.

Safai ym mlaen y dosbarth lle roedd y bechgyn wedi cynhyrfu am eu bod yn cael mynd allan o'r ysgol am ychydig o oriau gwerthfawr

'Iawn fechgyn, setlwch am funud,' dechreuodd. 'Dwi jest eisiau dweud wrthych chi am y lle byddwn ni'n ymweld ag o heddiw. Ry'm ni'n mynd i barc lle mae 'na gofeb i'r Cymry laddwyd mewn rhyfeloedd yn y ganrif ddiwethaf. Fe fu'r ddau ryfel byd yn rhai costus iawn i'r Cymry, fel i lawer o wledydd bychain eraill. Doedd dim gwerth yn cael ei roi ar fywydau yng nghanol y brwydro rhwng y pwerau mawrion. Byddwn ni'n edrych yn benodol ar un garreg goffa yn y parc, sef maen gyda phlac o lun pren olewydd a cholomennod arno. Maen i gofio am y gwirfoddolwyr o Gymru a aeth i ymladd yn Rhyfel Cartref Sbaen rhwng 1936 a 1938 ydi hwnnw – dyna fydd un maes y byddwn ni'n ei astudio y tymor hwn. Mae geiriau'r bardd Niclas y Glais ar y maen: "Dros ryddid daear".

Beth yw ystyr hynny? Fe aethon nhw i amddiffyn democratiaeth – ond pam hynny, meddech chi? Aeth 173 o Gymru i ymladd yn Sbaen ond ddaeth 33 ddim yn ôl. Mi gewch glywed yr hanes am beth ddigwyddodd yn nes ymlaen.

Gardd goffa ydi hi, cofiwch, a dwi eisiau i chi gyd ymddwyn yn arbennig a chofio eich bod yn cynrychioli Craig-wen.

'Byddwn yn gadael ar y bws ymhen deng munud a chymrith hi ddim yn hir i ni gyrraedd yno. Oes oes unrhyw un eisiau mynd i'r tŷ bach, ewch rŵan, ac oes gan unrhyw un o'r gweddill ohonoch chi gwestiynau, gofynnwch nhw rŵan, plis.'

Doedd yr un o'r bechgyn ar frys i ddarganfod mwy nag oedd rhaid am y garreg goffa, felly aeth Mr Mathews ymlaen i ymhelaethu.

'Ry'n ni'n meddwl weithiau bod hanes yn rhywbeth am hen bobl a dyddiadau pell yn ôl. Ond cofwch mai straeon am ddynion ifanc ychydig yn hŷn na chi sydd y tu ôl i'r meini coffa. Roedd rhai ohonyn nhw'n chwarae rygbi. Oes un ohonoch hi wedi cylwed am rai o'r rhain yn eich clybiau lleol tybed?'

'Ai Dic Penderyn oedd un ohonyn nhw?' holodd Pedr Hickey.

'Cyfnod gwahanol, terfysg gwahanol,' atebodd Mr Mathews. 'Ond rwyt ti'n weddol agos ati o ran mai ymladd am hawliau gweithwyr oedd y tu ôl i Derfysg Merthyr 1831 a Rhyfel Cartref Sbaen. Chi fechgyn sydd wedi cynrychioli sir Gaerfyrddin – ydych chi wedi clywed am rai o'r glowyr glo caled fu'n chwarae dros y sir?'

Tawelwch.

'Wel,' ochneidiodd Mr Mathews. 'Lwcus ein bod ni wedi dewis y pwnc yma er mwyn agor eich llygaid chi. Roedd tri ffrind o Rydaman wedi gwirfoddoli i fynd i Sbaen – Sam Morris, Jac Williams a Wil Davies. Roedd Sam a Wil yn flaenasgellwyr cryf a chyflym yn chwarae dros y sir. Aeth Wil yn ei flaen i chwarae i glwb Llanelli ac yna rygbi'r gynghrair yn swydd Efrog. Bydd gan y gŵr gwadd sy'n ein cyfarfod yn yr ardd lawer i'w ddweud wrthoch chi am y tri yma. Gwrandewch yn ofalus arno achos byddwch yn astudio y cyfnod yma ar gyfer eich arholiadau.'

Roedd y daith fws ar draws y ddinas yn arafach nag oedd Mr Mathews wedi'i dychmygu. Roedd traffig trwm ar y strydoedd a gwyliodd Owain wrth i seiclwyr a hyd yn oed gerddwyr hwylio heibio iddyn nhw.

Ond fe gyrhaeddon nhw'r gerddi o'r diwedd a daeth pawb i lawr oddi ar y bws. Gallai Owain weld eu bod wedi cyrraedd llecyn gwyrdd braf yng nghanol y ddinas. Roedd y gerddi'n fwrlwm o goed a blodau lliwgar ac roedd hi mor dawel a hamddenol yno fel ei bod hi'n anodd credu eu bod nhw mewn dinas brysur o gwbl.

Roedd diddordeb Owain mewn hanes wedi cael ei danio gan iddo ennill cystadleuaeth yr Hanesydd Ifanc y flwyddyn cynt, ond doedd o erioed wedi clywed dim am ran y Cymry yn Rhyfel Cartref Sbaen ac roedd o'n edrych ymlaen i glywed yr hanes.

Roedd gŵr pryd tywyll, gyda *beret* am ei ben yn aros amdanyn nhw wrth giat y gerddi. Roedd yn siarad gydag acen ddieithr, ond Cymraeg oedd pob gair a ddôi o'i ben.

'Bore da. Fy enw i yw José. Rwy'n dod o Wlad y Basg ac yn astudio Cymraeg a Gwleidyddiaeth Ryngwladol ym Mhrifysgol Caerdydd. Dewch i mewn i'r ardd – mae'n llecyn hyfryd, er bod tristwch mawr y tu ôl i'r cerrig coffa hyn.'

Aeth José â'r dosbarth at faen pigfain a edrychai'n debyg i un o gerrig cylch Gorsedd y Beirdd. Roedd placiau efydd arno.

'Rhyw wyth deg mlynedd yn ôl, roedd fy ngwlad i – Gwlad y Basg – yn rhan o lywodraeth Sbaen. Am ganrifoedd, bu pobl gyffredin Sbaen yn byw mewn tlodi enbyd – roedd teuluoedd ariannog a sefydliadau pwerus yn gwasgu ar y werin. Mae ardal Asturias yn debyg iawn i ardal y Cymoedd yma yng Nghymru – ac roedd y diwydiant glo yn bwysig iawn yno hefyd. Yn 1934 streiciodd y glowyr dros gyflog teg a diogelwch yn y gwaith ond gyrrwyd y fyddin yno dan arweiniad y Cadfridog Franco. Lladdwyd tair mil o'r glowyr.'

Erbyn hyn, roedd llygaid pob un o'r bechgyn wedi'u hoelio ar José.

'Ond daeth dyddiau gwell. Roedd pobl Sbaen wedi penderfynu cael gwared ar y teulu brenhinol a'r hen drefn ac yn 1936 etholwyd llywodraeth sosialaidd i arwain y weriniaeth newydd.'

'Rydych yn cofio ein gwersi hanes ar sosialaeth, fechgyn,' atgoffodd Mr Mathews y dosbarth. 'Sicrhau tegwch a chyfiawnder i bawb fel ei gilydd yw nod sosialaeth – rhoi yn ôl y modd a rhannu yn ôl yr angen. Sosialaeth sy'n arwain at gyflog teg, gwell safon byw a chyfle cyfartal i bawb.'

'Roedd llawer o waith i'r llywodraeth newydd yn Sbaen,' aeth José yn ei flaen. 'Roedd hi angen cyfeillion a chefnogwyr hefyd, a throdd at Wlad y Basg a chynnig llywodraeth annibynnol iddi os oedd hi'n fodlon cydweithio. Wel, roedden ni'r Basgiaid wrth eu boddau – roedden ni wedi bod yn ymgyrchu am ein rhyddid ers cenedlaethau.'

'Ond roedd gan y llywodraeth ddemocrataidd newydd yn Sbaen ei gelynion hefyd. Daeth y Cadfridog Franco i reoli'r fyddin ac yng Ngorffennaf 1936, cododd y fyddin yn erbyn llywodraeth y bobl – gweithred hollol Ffasgaidd, wrth gwrs. Rhwygwyd Sbaen – roedd y brifddinas, Madrid, a Gwlad y Basg a Chatalwnia yn driw i'r llywodraeth ond roedd y de a'r gorllewin dan fawd Franco. Aeth y rhwyg yn ymladd a dyna ddechrau Rhyfel Cartref Sbaen rhwng y Ffasgwyr a'r Gweriniaethwyr.'

'Roedd y 1930au yn gyfnod cythryblus yma yng Nghymru hefyd,' eglurodd Mr Mathews. 'Adeg y Rhyfel Byd 1914–18, roedd digon o alw am lo a haearn a dur o Gymru yn danwydd i'r llynges Brydeinig ac wedyn i wneud arfau. Ond ar ôl y rhyfel, cwympodd y prisiau, cafodd miloedd eu gwneud yn ddi-waith, a chymoedd glo de Cymru oedd y rhai cynta i deimlo effaith y tlodi dychrynllyd. Roedd teuluoedd yn llwgu yno. Felly roedd llawer o gydymdeimlad yma at yr hyn roedd y llywodraeth ddemocrataidd yn ei wneud yn Sbaen.'

'Ydych chi wedi clywed am Hitler, fechgyn?' holodd José.

'Do, Nazi oedd o, 'te,' atebodd Dylan.

'Ie, ond ffasgwr hefyd. Unben nad oedd yn credu mewn democratiaeth,' meddai José. 'Roedd ffasgwr arall o'r enw Mussolini, mewn grym yn yr Eidal. Rhoddodd y ddau yma bob cefnogaeth i Franco – milwyr, awyrennau, bomiau. Roedden nhw'n falch o gyfle i ymarfer rhyfela gyda'r bwriad o fod yn barod ar gyfer yr Ail Ryfel Byd yn fuan. Ond doedd yr un o'r gwledydd democrataidd yn fodlon cynnig cymorth i lywodraeth Sbaen i wrthwynebu'r ffasgwyr hyn. Eto, er bod arweinwyr gwledydd fel Prydain, Ffrainc ac America'n golchi'u dwylo o'r cyfan, roedd llawer o'r bobl gyffredin, undebwyr a sosialwyr yn y gwledydd hynny, yn awyddus iawn i ymladd yn erbyn Franco.

'Sefydlwyd Brigadau Rhyngwladol – byddinoedd o bobl gyffredin o wledydd tramor oedd yn gwirfoddoli i fynd i ymladd yn Sbaen. Roedd y rhain yn bobl ddewr iawn – dynion ifanc oedd yn credu'n gryf yn eu hegwyddorion ac yn fodlon mynd i fentro'u bywydau dros eu hachos. Ac nid dynion yn unig – aeth merched o Gymru yno i nyrsio, codwyd digon o arian yng ngogledd Cymru i yrru ambiwlans a chriw meddygol i Sbaen ac roedd morwyr Cymru yn gefn mawr i Wlad y Basg a'r Weriniaeth. Rydym ni'n eu cofio nhw i gyd yma, wrth y maen hwn, yn yr ardd hon.'

Disgynnodd tawelwch dros y cwmni bychan yn yr ardd goffa.

'Y tu ôl i'r ffigyrau a'r cofnodion, mae straeon am bobl go iawn,' meddai Mr Mathews. 'Hanesion cig a gwaed. Meddyliwch chi eto am y tri gŵr ifanc o Ddyffryn Aman.

'Glöwr wyth ar hugain mlwydd oed oedd Sam Morris pan adawodd o am Sbaen, yn Rhagfyr 1936, yng nghwmni ei gyfaill ers dyddiau ysgol, Wil Davies. Roedd y ddau ohonyn nhw'n athletaidd a ffit – doedd neb i'w curo nhw am nofio ym mhwll y Cymer lle roedd yr afon Afan yn llifo i afon Llwchwr, yng ngwaelod tref Rhydaman. Mi fydden nhw'n mynd i nofio yng nghronfa ddŵr pwll glo'r Rhos weithiau hefyd – er ei fod o'n erbyn y rheolau, am ei fod o'n beryglus ofnadwy. Ond dyna fo, roedden nhw'n ddau anturus. Buon nhw yn Ysgol Parcyrhun ac yna yn gweithio dan ddaear yn codi glo carreg gorau'r byd allan o'r lofa. Aeth hi'n ddrwg yn nyffryn Aman yn adeg y Streic Fawr yn 1926 a bu streiciau mawr ymysg y glowyr a'r gweithwyr bysiau, a chafodd Sam a Wil eu carcharu am gyfnod. Roedd llygad barcud yr heddlu arnyn nhw wedyn.

Roedden nhw'n flaenasgellwyr, fel y dywedais i – yn daclwyr nerthol ac yn rhedwyr chwim. Aeth Wil i chwarae rygbi'r gynghrair ac mae hynny'n dweud y cwbwl amdano fo, tydi?' Trodd Mr Mathews at José. 'Mae'r rhain yn deall eu rygbi, 'dach chi'n gweld, José.'

'Galla i weld hynny yn ôl maint eu hysgwyddau nhw,' chwarddodd José. 'Byddai angen bod yn ffit ac yn anturus i fynd o Gymru i Sbaen yn y cyfnod hwnnw. Roedd rhai yn rhedeg a neidio ar drenau ac eraill yn cerdded drwy fylchau uchel mynyddoedd y Pyrenees rhwng Ffrainc a Sbaen. Roedd yr heddlu a'r awdurdodau yng Nghymru, Lloegr a Ffrainc yn ceisio'u rhwystro, chi'n deall, gan honni eu bod nhw'n wledydd niwtral.'

'Roedd clwb rygbi da yn Rhydaman yn y cyfnod hwnnw,' eglurodd Mr Mathews. 'Pnawn Sadwrn ar y cae rygbi oedd cyfle mawr y glowyr – dod allan i'r awyr iach ar ôl gweithio dan ddaear yn y bore ac yna gêm galed, iach! Rhwng 1912–14 doedd yr un tîm wedi croesi llinell gais Rhydaman. Tri thymor! Dyna ichi gamp. Rhoddwyd y ffugenw 'Yr Anorchfygol' ar y tîm hwnnw, ac ar ôl y drydedd flwyddyn, rhoddwyd cap arbennig i bob aelod o'r tîm. Roedd Vaughan Morris, ewythr Sam, yn un o dîm yr Anorchfygol, ac mae'n amlwg fod y gallu rygbi yna'n rhedeg yn y teulu. Yn llanc ifanc yn y 1920au, roedd Sam yn chwarae dros sir Gaerfyrddin yng nghwpan ieuenctid Cymru.'

'Ond does gan ryfel ddim parch at gorff nac enaid dyn,' meddai José. 'Ddaeth Sam ddim yn ôl i Gymru.'

'Aeth cyfaill o Rydaman – Jac Williams – i Sbaen yn 1937,' aeth Mr Mathews yn ei flaen. 'Yng Ngorffennaf y flwyddyn honno, roedd y bechgyn yn ymladd i amddiffyn Madrid rhag disgyn i ddwylo'r ffasgwyr. Brwydr Brunete oedd enw'r frwydr, ac ar 17eg o Orffennaf, lladdwyd Sam. Roedd Jac gydag ef pan fu farw ond ymhen pythefnos roedd yntau wedi'i ladd yn yr un frwydr. Anafwyd Wil hefyd ond llwyddodd o i ddod 'nôl i Gymru yn y diwedd.'

'Collwyd llawer o ddynion da yn y rhyfela,' meddai José, 'a chollodd llawer o bobl gyffredin a phlant a babanod, hyd yn oed, eu bywydau yn y brwydro yn Sbaen – ond cewch yr hanes hwnnw rhyw dro eto.'

'Diolch yn fawr, José,' meddai Mr Mathews. 'Dyna agor cil y drws ar yr hanes. Dwi'n siŵr bod y straeon hyn wedi cyffwrdd y bechgyn ac y bydd yn eu sbarduno i chwilota am fwy o'r hanes.'

Roedd y bechgyn yn dawel wrth adael. Doedd Dylan, hyd yn oed, ddim yn sgwrsio a neidio o gwmpas. Yn sydyn, roedd hanes Cymru yn teimlo'n fyw iawn i'r bechgyn.

PENNOD WYTH

Daeth Mr Charles i'r stafell gyffredin i ddweud wrth Owain ei fod wedi cael ei ddewis ar gyfer mainc yr eilyddion ar gyfer gêm gyfeillgar gyntaf y tîm iau ddydd Mercher.

'Mae'n rhaid i ni roi manylion y tri deg pump aelod o'r sgwad i adran blant Undeb Rygbi Cymru wythnos nesa, a hoffen i fod yn siŵr dy fod ti'n barod am hyn,' dywedodd wrtho.

'Diolch, syr,' atebodd Owain, er nad oedd o'n dal yn siŵr a oedd o eisiau bod yn rhan o dîm y Cwpan Iau o gwbl.

Sylwodd Brython ar y sgwrs a daeth draw, fel roedd Mr Charles ar fin gadael. Awgrymodd wrth Owain eu bod yn mynd allan i loncian.

Rhedodd y ddau o gwmpas y cae rygbi yn eithaf hamddenol, gan siarad am y gemau oedd i ddod a gobeithion mawr Craig-wen ar gyfer y tîm iau eleni.

'Dy'n ni heb ennill ers blynydde, ond mae'r tîm 'ma wedi gwneud yn dda ac mae ein prif wrthwynebwyr, Llanelystan, wedi colli eu dau chwaraewr gorau – wedi ymfudo i Awstralia, creda neu beidio.'

'Mae Rolant yn dda iawn,' meddai Owain, wrth drafod dewis cyntaf y tîm iau ar gyfer safle'r maswr.

'Ody mae e,' cytunodd Brython, 'ond mae e'n un gwael am gael ei anafu. Fe fethodd e gêm gynderfynol y tîm dan 14 llynedd a bu'n rhaid i ni roi Prysor ar y cae. Gafodd e hunlle o gêm a chawson ni ein maeddu'n rhacs.'

'Ydi Prysor yn y sgwad ar gyfer y gêm yma?'

'Na, ond 'wy'n credu byddwn ni'n dewis tri bachgen all chwarae maswr neu ganolwr, felly fydd e ddim yn y sgwad o 26 ar gyfer y gêm pwy ddiwrnod, ond fydd e'n y sgwad o 35 fyddwn ni'n gofrestru gyda'r adran. Dyle bod ti o'i flaen e, felly pob lwc os cei di gyfle i chwarae.'

Ddeuddydd yn ddiweddarach, roedd Owain yn sefyllian ar yr ystlys, yn ceisio cadw'n gynnes, gyda dim ond deng munud o'r gêm gyfeillgar yn weddill. Roedd o wedi gobeithio mynd ymlaen ar ôl hanner amser, ond dyma gêm gyntaf y tymor i Rolant ac roedd o angen chwarae am cyn hired ag y gallai, ac yntau ond newydd ddychwelyd o'i anaf.

Yn y diwedd, galwodd Mr Charles ar y grŵp o eilyddion. 'Olreit, rydych chi i gyd yn mynd 'mlân. Mae saith neu wyth munud yn weddill, wedyn gadwch i ni weld beth allwch chi ei wneud.'

Rhedodd Owain ymlaen a chymryd ei le yn safle'r maswr, y safle pwysicaf ar y tîm, ac o ble câi y penderfyniadau mawr i gyd eu gwneud. Dechreuodd feddwl am hynny wrth iddo aros i'r gêm ailddechrau.

Pwylla a chadwa bethau'n syml, meddyliodd wrtho'i hun wrth i'r gêm ailddechrau. *Jest canolbwyntia ar beidio gwneud unrhyw gamgymeriadau.*

Fflipiodd Padrig Bwcle, y mewnwr, y bêl yn ôl i Owain, a redodd dri metr cyn iddo gael ei daclo a bwydodd y bêl yn ôl yn dwt i'r chwaraewr oedd y tu ôl iddo. Llamodd Owain yn ôl ar ei draed a dychwelyd i'w safle wrth i flaenwyr Craig-wen ddechrau ffurfio sgarmes yn uwch i fyny ar y cae. Efallai bod y gêm ar ben fel gornest – roedd Craig-wen ugain pwynt ar y blaen – ond roedd pob un o'r eilyddion eisiau gwneud eu marc.

Dymchwelodd y sgarmes jest tu fewn i'r 22, a ffurfiodd y cefnwyr linell, yn barod i ymosod. Twriodd Padrig i mewn i'r pentwr a cheisio cipio'r bêl. Oedodd, gan edrych i'r chwith ac i'r dde, cyn sgathru ymaith drwy fwlch, tua'r llinell. Fel roedd o'n croesi, cafodd ei ddal, ond symudodd Owain yn gyflym i gymryd y bêl wrth iddi ddod yn ôl tuag ato. Gydag un symudiad llyfn, disgynnodd i'r ddaear, gan anelu am y mymryn o'r llinell gais y gallai ei gweld, a gwasgu'r bêl arni.

'*Bîîîîîp,*' meddai'r chwiban a chododd y dyfarnwr ei fraich yn syth i'r awyr.

'Da iawn, Morgan,' meddai Padrig, wrth iddyn nhw godi eu hunain allan o'r pentwr a sefyll ar eu traed. 'Well i ti ei chicio hi hefyd,' meddai dan wenu.

Ymunodd Brython gyda nhw, ac egluro mai Owain oedd y ciciwr gorau oedd ar ôl ar y cae, ac mai ef fyddai'n cymryd y trosiad. 'Cymer bwyll, mae hi'n un rhwydd, ond cadwa lygaid ar y gwynt 'na,' meddai.

Cymerodd Owain ei amser yn rhoi'r bêl ar y tî, a chydiodd mewn ambell flewyn o wair a'i daflu i'r awyr i'w helpu i asesu cyflymder a chyfeiriad y gwynt. Roedd Brython yn iawn; roedd y gwynt yn hyrddio'n arw.

Camodd yn ôl i'w farc, cyn rhedeg am y bêl, gan anelu i'r dde. Yr eiliad y cyffyrddodd o yn y bêl, cydiodd y gwynt ynddi a'i llusgo'n ôl ar draws wyneb y gôl. Yn anhygoel, bwriodd ochr y postyn gôl chwith gyda chlec, cwympo fel carreg a bownsio eto oddi ar y croesfar. Anadlodd Owain allan, gan annog y bêl i fynd dros y bar, ac yn sicr ddigon, syrthiodd hithau i'r llawr wrth i'r llumanwyr godi eu fflagiau.

'Ha! Dyna lwc,' gwenodd Brython wrth i Owain redeg yn ei ôl, gan deimlo mymryn o gywilydd. 'Er mi weithiodd!'

Mwmialodd Owain 'diolch' wrth i weddill y tîm chwerthin yn werthfawrogol o'i gyfraniad dramatig, ac roedd o'n falch fod gweddill y gêm wedi pasio heb unrhyw ddigwyddiad arall.

'Gwaith da, Morgan,' gwaeddodd Mr Charles, wrth iddo ddal i fyny gydag Owain wrth gerdded yn ôl tua'r bloc preswyl ar ddiwedd y gêm. 'Ti'n gwneud y pethau syml yn dda ac mae chwaraewyr rygbi yn anghofio gwneud hynny'n aml iawn. Bydda i'n anfon dy enw di bant fory fel un o'n panel o 35 o chwaraewyr. Llongyfarchiadau. Dyw hynna ddim yn digwydd yn aml i fois Blwyddyn Naw yn yr ysgol yma.'

PENNOD NAW

Yn ôl yn y llofft, roedd helynt at droed. Roedd ffôn Rhodri wedi diflannu ac roedd o'n flin ofnadwy.

'Roedd y drws wedi'i gloi a'r unig bobl sydd efo allweddi ydi'r tri ohonoch chi a swyddfa'r llysfeistr. Dwi'n mynd i fynd allan am awr ac os nad ydi o'n ôl ar fy ngwely erbyn i mi ddychwelyd, dwi'n mynd at y prifathro,' cyhoeddodd.

'Dal dy afael, Rhodri. Ti 'rioed yn meddwl mai un ohonom ni aeth â fo, wyt ti?' gofynnodd Owain.

'Wn i ddim,' meddai Rhodri, gan rythu ar Owain, Dylan ac Alun yn eu tro. 'Ddaru chi?'

Taranodd allan drwy'r drws a safodd Owain yn syllu ar y ddau arall mewn sioc.

'Mae hynna'n wallgo,' dywedodd. 'Ydi o ddim yn ein trystio ni?'

'Na'di, yn amlwg,' meddai Dylan. 'Mae'n siŵr ei fod o'n meddwl mai fi sydd ar fai oherwydd fod Dad yn y carchar. Dydi o erioed wedi fy hoffi i, p'run bynnag.'

'O, stopia'r lol 'na, Dyl. Ti wedi cael 'chydig o eiriau croes efo fo, ond dim byd difrifol. A dim y ddau ohonoch chi ydi sêr y tîm dan 14 'leni. Mae o jest yn flin am fod ei ffôn wedi costio cymaint – mi wariodd o'i bres pen-blwydd i gyd arno fo,' atebodd Owain.

'Wel, dydw i ddim yn aros yn fan'ma i gael fy nghyhuddo ar gam,' dywedodd Dylan, gan ruthro i fyny'r coridor a gadael Owain ac Alun ar eu pennau eu hunain.

'Os mai chdi fachodd y ffôn, ddyweda i ddim gair,' sibrydodd Alun, gan edrych draw at Owain gyda wyneb difrifol a drodd yn wên fawr ar ôl tair eiliad.

'Dwi'n gobeithio caiff hyn ei sortio'n gyflym,' mwmialodd Owain. 'Fydd 'na fawr o hwyl i'w gael yn fan'ma os na ddaw o i'r fei cyn bo hir.'

Gorweddodd Alun ar ei wely a chwilio o dan ei obennydd. Yna eisteddodd i fyny'n gyflym a thaflu ei obennydd o'r neilltu.

'Fy ffôn!' ebychodd.

Safodd Owain ar ei draed a cherdded draw at wely Alun. 'Ydi dy un di ar goll hefyd?'

Nodiodd Alun.

'Ocê, gad i ni chwilio amdano fo'n drylwyr, mae'n rhaid ei fod o yma yn rhywle,' awgrymodd Owain.

Fe dynnon nhw bob cynfas a blanced oddi ar y gwely. Aeth Owain ar ei bedwar o dan y gwely a chwilio amdano yno. Tynnodd Alun bopeth o'i locyr a'i gwpwrdd dillad a phob un o'r cesys a ddaeth efo fo.

Dim.

Safodd Owain, gan sgubo'r llwch a'r darnau bach o farnais oddi ar ei ddwylo.

'Mae hyn yn ofnadwy,' dywedodd. 'Dwi ddim yn meddwl bod Dylan wedi mynd â dim byd, ond mae o'n iawn i gredu gwnaiff pobl feddwl ei fod o wedi gwneud hynny. Dwi'n gobeithio daw'r ffonau i'r fei cyn bo hir.'

'Mae aros fan hyn yn ddiflas,' meddai Alun. 'Gad i ni fynd allan.'

Cychwynnodd y ddau am dro o gwmpas tir yr ysgol, a

mynd at y garreg wen. Y fan yma, ar bwys y ffrwd fach fyrlymus, oedd hoff le Owain yn yr ysgol i gyd.

'O, wnes i anghofio dweud wrthat ti,' dechreuodd. 'Roeddwn i yma 'chydig o wythnosau'n ôl, a baswn i'n tyngu bod rhywun yn saethu ata i.'

'Beeeeeeth?' ebychodd Alun yn syfrdan.

'Ia, dwi'n gwybod ei fod o'n swnio'n ddwl, ond pan es i am dro ar y noson gynta, ddes i lawr i fan 'ma am sbel. Clywais ddau fang a baswn i'n taeru mai ergydion gwn oedden nhw. Dwi'n meddwl eu bod nhw wedi dod o gyfeiriad yr ysgol.'

'Wyt ti o ddifri?' meddai Alun. 'Dydi hynna ddim yn jôc – dyle bod ti wedi dweud wrth Mr Hopcyn.'

'Wn i. Wn i. Ond roedd o'n ymddangos mor ddwl. A chafodd neb ei frifo.'

'A beth sy'n digwydd os ydyn nhw penderfynu saethu rŵan – ac mae'n nhw'n fy mwrw i? Yna bydd rhywun wedi cael ei frifo. Mae'n rhaid i ti ei riportio fo.'

'Iawn,' mwmialodd Owain. 'Wna i alw i'w weld o nes 'mlaen.'

'Wyt ti wedi clywed unrhyw beth oddi wrth Dic neu Johnnie 'leni?' gofynnodd Alun. 'Baswn i wrth fy modd yn eu gweld nhw mor aml â chdi.'

Flwyddyn ynghynt, darganfyddodd Alun ei fod yntau hefyd yn gallu gweld yr ysbrydion oedd yn dod i weld Owain, ond dim ond unwaith roedden nhw wedi ymddangos iddo fo hyd yma.

'Wn i ddim. Mae o'n rhyfedd,' atebodd Owain. 'Weithiau mae'n edrych fel 'mod i'n gallu galw arnyn nhw a thro arall, maen nhw jest yn ymddangos pan dwi eu hangen nhw. Alli di byth ddweud. Ond mae 'na rywbeth am y lle yma cofia. Mae o'n codi ofn arna i weithiau, yn enwedig gyda'r nos, pan mae hi'n tywyllu. Tybed oedd 'na rywbeth ar y safle 'ma amser maith yn ôl?'

'Hen hen fynwent?' tynnodd Alun ei goes. 'Ella galli di ofyn i Mr Mathews? Mae o'n sgwennu am hanes yr ysgol, tydi?'

'Syniad da, ond bydd rhaid i mi fod yn ofalus ynglŷn â beth dwi'n ei ofyn hefyd.'

Trodd y bechgyn ac anelu yn ôl am eu llofft, gan gicio can o bop i'w gilydd a'i ddriblo ar draws y cae. Yn sydyn, teimlodd Owain ysfa ryfedd i droi o'i gwmpas. Oedodd gan edrych yn ôl i'r cyfeiriad o lle daethon nhw. Gwelodd ddyn ifanc wedi'i wisgo mewn crys rygbi o gylchoedd coch a glas tywyll, yn sefyll wrth geg y coed.

Gwaeddodd Owain, 'Hei, wyt ti ar goll?' ond y cyfan wnaeth y dyn oedd troi a chrwydro yn ôl i mewn i'r coed.

'Welais i o! Welais i o hefyd!' meddai Alun. 'Ysbryd newydd ydi o?'

'Mae gen ti obsesiwn am weld ysbrydion!' meddai Owain. 'Ond does gen i ddim cynlluniau i'w ddilyn o i lawr i'r fan'na. Sgwn i beth sydd yna i de?'

PENNOD DEG

Hanes oedd eu hail wers y bore canlynol a rhoddodd Alun broc i Owain yn ei asennau gyda'i benelin pan ddaeth Mr Mathews drwy'r drws.

'Mae gen i ofn bod Mr Dwyfor yn sâl heddiw, felly fi fydd yn rhoi'r wers. Beth ydych chi wedi bod yn ei astudio yn ddiweddar?' gofynnodd.

'Rhyfel Cartref Sbaen, syr,' atebodd Huw Bowen.

'A! Wrth gwrs,' meddai Mr Mathews. 'Chi oedd gyda mi yn yr ardd goffa yn Cathays yr wythnos diwethaf. Oes unrhyw un ohonoch chi'n cofio enw'r cadfridog oedd yn arwain y ffasgwyr yn Sbaen?'

Saethodd cwpwl o ddwylo i'r awyr ac aeth y wers rhagddi. Roedd Mr Mathews yn athro ysbrydoledig a chyn hir roedd o wedi llwyddo i swyno'r rhan fwyaf o'r bechgyn gyda straeon o'r gorffennol. Soniodd am y gwahanol wrthdaro ddigwyddodd yn ystod y Rhyfel Cartref yn Sbaen.

'Pwy sy'n cofio enw'r glöwr a'r chwaraewr rygbi o Rydaman a laddwyd ym mrwydr Brunete?'

'Sam Morris, syr?' gofynnodd Daniel Rowlands.

'Ia, dyna chi – Sam Morris o Rydaman. Dwi wedi bod yn ymchwilio dipyn i'w gefndir o ac ymchwilio i hanes yr ysgol hon, Craig-wen, ar yr un pryd. A choeliwch chi fyth, bu Sam Morris yn chwarae'n erbyn Craig-wen pan oedd o'n aelod o dîm sir Gaerfyrddin. Gêm gwpan oedd hi – ond mae'n anodd crafu'r holl wybodaeth at ei gilydd. Ta waeth, dyfal donc, a dwi'n credu ei bod hi'n amser i chi fechgyn fynd i'r labordy gwyddoniaeth rŵan.'

Fel dywedodd o hynny, canodd cloch diwedd y wers, a gadawodd y bechgyn i fynd i'w gwers nesaf. Ond arhosodd Owain ar ôl a chornelu Mr Mathews.

'Syr, alla i ofyn cwestiwn am Ysgol Craig-wen?'

'Wrth gwrs, Owain, ffwrdd â thi.'

'Wel, wyddoch chi'r llecyn coediog i lawr wrth y ffrwd – ble mae'r garreg? Ro'n i eisiau gwybod sut roedden nhw'n defnyddio hwnnw ers talwm? Mae 'na awyrgylch od yno ac ro'n i'n methu deall pam bod y lle wedi tyfu'n wyllt pan mae gweddill yr ysgol wedi'i droi'n adeiladau a chaeau chwarae.'

'Cwestiwn da,' meddai Mr Mathews. 'A bod yn onest, does gen i ddim syniad. Ond dwi'n gweithio trwy hen adroddiadau'r ysgol, ac er nad ydyn nhw'n gyflawn, efallai y dof i o hyd i'r ateb i dy gwestiwn cyn hir. Well i ti fynd rŵan, neu fydd Mr Magee ddim yn hapus dy fod ti'n hwyr i'w wers.'

Tapiodd Owain Dylan ar ei ysgwydd wrth iddyn nhw adael y dosbarth y diwrnod hwnnw.

'Ti awydd mynd i redeg?' gofynnodd. 'Mae'r tîm iau'n cael sesiwn ymarfer ar gyfer y blaenwyr yn unig, felly mae gen i amser rhydd.'

'Ia, pam lai?' mwmialodd Dylan oedd wedi bod yn dawedog iawn ers i'r ffonau ddiflannu. Aeth y bechgyn yn ôl i'w llofft a newid i'w tracwisgoedd a'u trenyrs yn gyflym, gan gloi'r drws wrth iddyn nhw adael.

Roedd hi'n ddiwrnod hydrefol clir a heulog, a mwynhaodd y ddau herio'i gilydd wrth redeg, a chwrso'i gilydd drwy'r dail oedd wedi disgyn. Wrth iddi ddechrau tywyllu, fe ddechreuon nhw redeg yn arafach er mwyn iddyn nhw allu ymlacio, gan basio heibio'r coed.

'Ti wastad i lawr yn fan hyn,' meddai Dyl, yn fyr ei anadl. 'Pam ti'n dod yma o hyd ac o hyd?'

Oedodd Owain; doedd o ddim yn siŵr iawn a oedd o eisiau tynnu un arall o'i ffrindiau i mewn i'w fywyd cudd ar gyrion byd yr ysbrydion. Doedd o ddim wedi styrbio Alun o gwbl ond roedd ar Owain ofn y byddai Dylan yn dweud wrth y bechgyn eraill – neu feddwl ei fod o'n colli ei bwyll.

'Dim, a dweud y gwir. Dwi jyst yn hoffi'r awyrgylch. Mae o'n berffaith pan wyt ti angen llonydd.'

Aeth y ddau trwy'r llannerch tua'r garreg, a dychrynodd Dylan pan welodd ddyn ifanc yn sefyll yno, mewn crys rygbi du a chroes wen ar ei frest.

'Be goblyn ...?' ebychodd. 'Gad ni fynd o'ma!'

'Na, mae hi'n iawn,' dywedodd Owain. 'Dwi'n ei adnabod o. Paid â bod ofn.'

'Pwy ydi o?'

'Dic ydi o. Wnes i ei gyfarfod o ychydig o flynyddoedd yn ôl. Fe'i lladdwyd wrth iddo chwarae rygbi ...'

'Fe'i lladdwyd? Felly ... ysbryd ydi o?' sibrydodd Dylan, mewn braw.

'Shwmae, Owain,' meddai Dic. 'Gest ti haf da? Roedd e bach yn ddiflas i mi ond ddihunes i bore 'ma a darganfod fy hunan fan hyn. Oes yna rywbeth yn digwydd yn yr ysgol?'

Bu Dic yn help mawr i Owain wrth iddo stryffaglu i feistrioli'i sgiliau rygbi a delio gydag unigrwydd byw mewn ysgol breswyl. Roedd o wastad fel petai'n ymddangos ar yr adegau hynny pan oedd Owain ei angen o fwyaf, ac roedd Owain yn ei ystyried fel brawd mawr, bron.

'Dim byd mawr,' atebodd Owain.

'A phwy yw dy ffrind?'

'Dylan. Dylan Jones,' atebodd Owain, gan gymryd cip ar Dylan wrth i hwnnw syllu ar Dic yn gegagored.

'Wel, Dylan. Ti yw'r asgellwr 'te?' gofynnodd Dic.

'Ia,' atebodd Dylan yn nerfus.

'Dda gen i gwrdd â ti,' meddai Dic gan estyn ei fraich allan cyn iddo ei thynnu'n ôl, wrth sylweddoli bod peryg i Dylan fod ofn ysgwyd llaw farw, oer ysbryd.

'Beth ddaeth â ti yma?' gofynnodd Owain.

''Wy ddim yn sicr ond mae 'na rywbeth od yn mynd 'mlân,' dywedodd Dic. 'Wy'n cael teimlad cryf bod ysbryd arall bytu'r lle.'

'Dyna ryfedd. Ro'n i yma neithiwr a welais i foi arall mewn crys rygbi, tebyg i'r un mae tîm Caerfyrddin yn ei wisgo – un coch a glas tywyll. Ddywedodd o 'run gair a wnaethon ni ddim aros i siarad ag o.'

'Hmmm, 'wy'n ofni bod rhywbeth ar droed,' mwmialodd Dic. 'Ddes i o hyd i hwn ger y garreg hefyd,' ychwanegodd, gan ddangos casyn bwled pres iddyn nhw.

'Mae hwnna'n edrych yn hen iawn,' dywedodd Owain gan ei astudio'n ei law. 'Rhaid ei fod wedi bod yma ers talwm.'

''Wy ddim yn credu,' dywedodd Dic, 'neu fydden i wedi'i weld o'r blaen. Cadwa di fe, Owain. Falle wnei di ddarganfod rhywbeth bytu fe.'

'Byddai'n well i ni fynd yn ôl i'r ysgol,' meddai Dylan, yn amlwg wedi'i styrbio yn sgil cyfarfod yr ysbryd.

'Iawn, wel os clywi di unrhyw beth, ti'n gwybod lle fydda i, Owain,' meddai Dic. 'Does gen i fawr o ddim byd arall i'w wneud ...'

PENNOD
UN AR DDEG

Roedd hi'n noson gêm bêl-droed bwysig yng Nghynghrair y
Pencampwyr ac roedd y rhan fwyaf o'r flwyddyn yn gwylio'r
gêm yn y stafell gyffredin. Doedd Dylan dal heb gyfaddawdu
gyda Rhodri, felly roedden nhw'n eistedd bob pen i'r stafell.

Cerddodd Richie Duffy i mewn gyda'i ffrindiau a sylwodd
ar y trefniadau eistedd llawn tensiwn yn syth.

'Ha ha,' crechwenodd. 'Felly mae Babi Rhod-rhods a Babi
Dyl-dyl wedi cwympo mas ... Hei, Dylan, wnes ti gymryd ei
ddymi ... neu ddwyn rhywbeth arall?'

Chwyrnodd Dylan, ond wnaeth o ddim cymryd abwyd
Duffy. Edrych i ffwrdd wnaeth Rhodri ac esgus ei fod o'n
canolbwyntio'n llwyr ar y pêl-droed.

'Gad i ni fynd o'ma, Dyl,' dywedodd Owain, oedd wedi
blino ac eisiau dychwelyd i'r llofft. 'Anwybydda'r Duffy 'na,'
aeth yn ei flaen wrth iddyn nhw adael y stafell gyda'i gilydd.
'Mae o'n llawn gwynt. Ond gest ti bach o sgytwad gan Dic
gynna?'

'Wel ... do,' meddai Dylan. 'Ond beth roddodd y syrpréis
mwya i mi oedd dy fod ti fel petaet yn ei adnabod o'n dda.
Beth oedd ystyr hynna?'

'Ddrwg gen i, Dyl. Roedd yn rhaid i mi guddio hynny rhag
pawb bron – byddet ti wedi meddwl 'mod i'n honco. Mae Dic
wedi bod o gwmpas am ychydig o flynyddoedd ac mae o wedi
bod yn help mawr i mi. Fo oedd yr un ddywedodd wrth Alun am
yr herwgipiad ym Mharc yr Arfau llynedd – a'n achub i a Cadi.'

'O ... dwi wastad wedi rhyfeddu at hynny,' cyfaddefodd Dylan. 'Doeddwn i ddim yn deall beth oedd Alun yn ei wneud yn y maes parcio, fel ei fod o'n gallu clywed Cadi yng nghefn y fan. Ond mae'n siŵr y dylwn i ddiolch i Dic y tro nesa gwela i o.'

Wedi iddyn nhw ddychwelyd i'r llofft, eisteddodd Owain ar ei wely ac estyn am ei locyr. Llithrodd yr allwedd i'r clo a'i throi, cyn estyn y tu ôl i bentwr o lyfrau lle roedd o wedi cuddio ei ffôn symudol.

Ond doedd o ddim yno.

'O na!' meddai. 'Mae fy ffôn wedi mynd! Roedd o yma jest cyn i ni fynd allan i redeg. Ac roedd y drws wedi'i gloi!'

Edrychodd Dylan arno, ei wyneb yn cymylu. 'Mae hynna'n ofnadwy, Owain, ond o leia all Rhodri ddim fy ngyhuddo i o'i ddwyn,' meddai Dylan yn ddifrifol.

Gwgodd Owain, yn poeni mwy am golli yr anrheg werthfawr roddodd Dewi iddo'r flwyddyn cynt.

Cyrhaeddodd Alun a Rhodri y stafell a dywedodd Dylan wrthyn nhw beth oedd wedi digwydd. 'Mae ffôn Owain wedi cael ei ddwyn. Wnaethon ni gloi'r drws a mynd allan i redeg – gyda'n gilydd – a phan ddaethon ni'n ôl, roedd o wedi mynd. Felly mae'n amhosib mai fi ddygodd o ...'

Aeth heibio'r gweddill dan wgu, a cherdded i lawr y coridor.

'Ddywedais i wrthych chi nad fo wnaeth,' meddai Owain. 'Mae o'n foi iawn a dydi o ddim angen i chi wneud ei fywyd yn anodd oherwydd ei dad. Hyd yn oed os nad ydych chi'n dweud dim, mae o'n gwybod beth rydych chi'n ei feddwl.'

Plygodd Rhodri ei ben a cherdded i lawr y corridor, gan osgoi mynd i'r un cyfeiriad â Dylan.

'Dylen ni fynd i weld Mr Hopcyn,' meddai Alun wrth Owain.

Roedd prifathro Craig-wen yn ei stafell pan gnociodd y bechgyn ar ei ddrws.

'Dewch i mewn. Aha, Morgan a Huws, sut galla i eich helpu?'

Eglurodd Owain beth oedd wedi digwydd a sut yr oedd o'n poeni mai Dylan fyddai'n cael y bai am y ffonau coll.

'Roeddwn i efo fo drwy'r adeg pan gafodd fy ffôn i ei ddwyn, a dwi'n sicr na fyddai o wedi cymryd y rhai eraill, syr. Ond mae Rhodri wedi mynd o flaen gofid a dwi'n ofni yr aiff y stori o gwmpas yr ysgol.'

Eisteddodd Mr Hopcyn yn ôl yn ei gadair a thapio ei bensel ar ei ddesg.

'Wel, wnawn ni ein gorau i sicrhau na ddigwyddith hynny, wrth gwrs. Ond bydd yn rhaid i ni geisio cael eich eiddo yn ôl hefyd. Nawr dangoswch i mi lle mae'ch llofft chi 'leni.'

Arweinioddd y bechgyn Mr Hopcyn yn ôl i'w llofft, gan sefyll wrth y drws wrth iddo fo ddechrau chwilio am y ffôn. Pan fethodd â dod o hyd iddo, tynnodd ei ffôn symudol ei hun o'i boced, gofyn i Alun beth oedd ei rif, a'i ddeialu.

'Shh,' meddai. Clustfeiniodd y tri i geisio clywed unrhyw beth. Ac yn sicr ddigon, roedd sŵn 'dring, dring, dring, dring' aneglur yn dod o rywle o dan y gwely.

Chwarddodd Mr Hopcyn. 'Rydych chi jest eisiau edrych tamed bach yn galetach, bois. Mae'n edrych fel bod y Prifathro Sherlock wedi datrys dirgelwch arall.'

Trodd a gadael, gan chwerthin wrtho'i hun wrth iddo grwydro i lawr y coridor.

Dowciodd Owain o dan y gwely, ond doedd o'n dal ddim yn gallu gweld arlliw o'r ffôn. Ymunodd Alun gydag o a sylwi yn syth ar yr hyn oedd wedi newid.

'Mae hynna'n rhyfedd,' dywedodd. 'Roeddwn i lawr yn fan'ma y noson gynta a sylwais i ar y trapddrws 'ma, ond roedd o wedi'i selio ar gau. Drycha fel mae'r farnais wedi cracio o'i gwmpas? Mae rhywun wedi'i agor o'n ddiweddar.'

PENNOD DEUDDEG

Ceisiodd Alun wthio ei fysedd o dan ymylon y trapddrws, ond roedd o wedi'i gau'n dynn.

'Beryg galli di ei wthio'n agored o'r ochr arall,' meddai. 'Mae'n siŵr mai o'r fan honno mae'r lleidr wedi bod yn dod.'

'Gad i ni symud coes y gwely ar ei ben o,' cynigodd Owain. 'Wnaiff hynny roi cur pen iddo, pwy bynnag ydi o.'

'Mae'n ffonau ni yn dal i lawr yna – a ry'n ni angen eu cael nhw yn ôl.'

'Ocê. Tybed a ydi Mr Mathews yn gwybod unrhyw beth am goridorau cudd?'

Aeth y ddau i stafell gyffredin y staff a chnocio ar y drws. Mr Charles atebodd a gwrandawodd ar eu cais a dweud wrthyn nhw am aros y tu allan. Doedd bechgyn byth yn cael croesi trothwy'r stafell yna.

'Beth alla i wneud i'ch helpu chi?' gofynnodd Mr Mathews.

'Syr, ydych chi'n cofio dweud eich bod chi'n ysgrifennu am hanes yr ysgol? Wel, ydych chi erioed wedi clywed am goridor cudd?' gofynnodd Owain.

'Wel ... nadw, mewn gwirionedd,' atebodd Mr Mathews yn bwyllog. 'Pam ry'ch chi'n gofyn?'

'Dwi'n meddwl bod rhywun wedi bod yn dod i mewn i'n stafell ni drwy drapddrws yn y llawr – ac maen nhw wedi bod yn dwyn ein ffonau symudol ni!' atebodd Owain.

'Mae hynna'n ddiddorol iawn,' atebodd yr hen athro. 'Mi glywais i sïon am goridor felly pan oeddwn i'n fyfyriwr yma, ond wnaeth neb dwi'n ei adnabod erioed ei ddarganfod. A dydi o ddim yn ymddangos ar gynllun gwreiddiol yr ysgol dwi wedi bod yn ei astudio'n ddiweddar. Rhaid i chi ddangos y trapddrws yma i mi.'

Aeth y bechgyn a Mr Mathews i fyny'r grisiau a chodi'r gwely oddi ar y drws dirgel oedd yn y styllod.

'Call iawn. Baswn i'n cadw'r gwely 'na ar ei ben o nes down ni at wraidd hyn.'

Edrychodd ar leoliad y stafell yn yr adeilad a threulio amser yn edrych i fyny ac i lawr y coridor y tu allan.

'Dirgel iawn,' meddai. 'Bydd yn rhaid i mi astudio hyn ymhellach. Peidiwch â sôn am hyn wrth unrhyw ddisgybl arall. Dydym ni ddim eisiau iddyn nhw fynd i chwilio am y troseddwr na'i guddfan.'

Roedd Owain yn flin ei fod wedi colli ei ffôn, ond gadawodd Dylan iddo decstio ei fam i ddweud wrthi, fel na fyddai hi'n poeni pan na fyddai o'n ateb. Ond gyda'r gwaith ysgol yn cynyddu a'r ymarfer rygbi yn llyncu bob awr rydd, buan yr anghofiodd amdano. Chafodd o'm o'i ddefnyddio fel eilydd ar gyfer dwy gêm gyfeillgar nesaf y tîm iau ac roedd o'n dechrau teimlo'n rhydlyd.

'Baswn i'n hoffi petai Charles yn gadael i mi chwarae efo chi, hogia,' meddai wrth Rhodri yn y llofft un noson. 'Fydda i'n dda i ddim mewn argyfwng os nad ydw i wedi chwarae gêm ers wythnosau. Dwi wedi cael llai na deng munud ar y cae drwy gydol y tymor!'

'Wna i ofyn iddo os galli di chwarae fore Sadwrn – ry'n

ni'n mynd lan i chwarae yn erbyn Glan Efa ac allet ti weld dy rieni,' atebodd Rhodri.

'Ti'n meddwl basa fo'n cytuno?' gofynnodd Owain. 'Does gan y tîm iau ddim gêm a baswn i wrth fy modd yn dianc o'r ysgol – a'r holl sesiynau ymarfer yna – hyd yn oed am ddiwrnod.'

Roedd Rhodri'n un da am berswadio, ac roedd Mr Charles yn barotach i gydweithio nag oedd Owain wedi'i ddisgwyl. Bore dydd Sadwrn, cododd Owain, Rhodri a Dylan yn gynnar i ymuno efo gweddill y tîm dan 14 oed yn mynd ar y daith dair awr i'r gogledd. Nhw oedd y cyntaf ar y bws ac fe gymeron nhw'r seddi gorau yn y cefn. Roedd Owain yn flinedig ac eisiau cysgu, ond tarfodd Richie Duffy arno. Roedd ei bartneriaid, Prothero a Selyf, fel cysgod y tu ôl iddo.

'Ti'n ôl yn ei slymio hi efo ni nawr, wyt ti, Morgan?' crechwenodd Richie. 'Wedi cael dy gicio oddi ar y tîm iau yn barod?'

'Na, dwi jest yn ôl i ddangos i ti sut mae maswyr iawn yn chwarae,' atebodd Owain yn sydyn.

Gwelwodd Duffy. 'Ond, ond ...' dechreuodd, cyn cerdded i flaen y bws lle roedd Mr Hoey yn eistedd ar bwys Mr Mathews.

'Pwy sy'n chware'n safle'r maswr heddiw?' gofynnodd Duffy wrth yr athro.

Cododd Mr Hoey ei ben o'i groesair a syllu ar y bachgen.

'Wel, i ddechrau, ti angen fy ngalw i'n "syr", ac yna ti angen dweud "esgusodwch fi",' mynnodd yr athro. 'Yna ti angen dychwelyd i dy sedd tra bod y bws yn symud. Bydda i'n cael sgwrs gyda'r capten Gavin Johnson cyn i ni gyrraedd Glan Efa. Wnawn ni adael i ti wybod mewn da bryd.'

Cerddodd Duffy yn ôl i'w sedd dan wgu'n flin. Roedd gweddill y tîm wedi clywed darlith Mr Hoey ac roedd y mwyafrif ohonyn nhw'n gweld anesmwythyd Duffy'n ddigri.

Trodd Gavin yn ei sedd a dal llygad Owain yng nghefn y bws. Rhoddodd winc enfawr iddo.

PENNOD TRI AR DDEG

Dim ond rhyw hanner awr o daith o Ddolgellau oedd Glan Efa, felly doedd Owain ddim yn synnu bod ei fam, ei dad a'i daid, wedi dod i'w wylio'n chwarae. Roedden nhw wedi dod â mam Dylan hefyd, a'i chwaer Cadi, a chwifiodd ei llaw arnyn nhw wrth iddyn nhw redeg allan i'r cae yng nghrysau gwyrdd a gwyn streipiog Craig-wen.

Dewiswyd Owain i chwarae yn safle'r maswr, ac er bod Richie Duffy'n gandryll, setlodd i'w hoff safle yn ddi-lol.

Er nad oedd y ddau dîm dim ond flwyddyn yn iau na'r chwaraewyr roedd Owain wedi bod yn ymarfer gyda nhw eleni, roedden nhw'n edrych cymaint yn llai. Doedden nhw ddim mor fedrus, chwaith, o ystyried y modd roedden nhw'n taflu'r bêl o gwmpas wrth iddyn nhw gynhesu cyn y gêm. Teimlai Owain ei fod wedi dringo dipyn o risiau ar yr ysgol rygbi.

Doedd hynny ddim yn golygu bod pethau'n haws – roedd y brodyr Rhun, colbwyr mawr o'i dref enedigol, Dolgellau, yn mynd i wneud yn siŵr o hynny.

'Dwi'n clywed dy fod ti'n dipyn o seren rygbi yng Nghraig-wen,' meddai Mabon wrth i'r timoedd fynd i'w safleoedd ar gyfer dechrau'r gêm.

'Wel, fyddi di'n gweld sêr erbyn i ni ddarfod efo chdi,' ychwanegodd ei frawd, Lewsyn.

Chwarddodd Owain a chicio'r bêl yn uchel i'r awyr, lle oedodd am eiliad, cyn i Gavin Johnson ei dal ac i sgarmes ffurfio o'i gwmpas.

Doedd fawr o siâp ar Graig-wen yn ystod yr hanner cyntaf, ond cadwodd Owain nhw yn y gêm gyda'i gicio, a phan newidion nhw ochrau, roedden nhw'n colli o 10-6.

'Ni angen mwy o bêl i'r cefnwyr, Morgan,' cwynodd Duffy wrth iddyn nhw sugno eu darnau o oren.

'Iawn, dewch yma am eiliad, plis,' dywedodd Mr Hoey, 'am fod gen i 'chydig o gynlluniau fy hun ... '

Gwrandawodd Owain ar yr hyfforddwr ac roedd ganddo syniadau da am yr hyn roedd angen ei wneud. Wrth i'r chwaraewyr symud i gymryd eu safleoedd ar gyfer yr ail hanner, cafodd Mr Hoey air tawel ag Owain.

'Shgwl, ti yw'r chwaraewr gorau o bell ffordd a ti'n cicio'n dda. Ond mae eu cefnwyr nhw'n edrych yn wan, felly hoffwn i ti roi cyfle i'n cefnwyr ni fanteisio ar hynny nawr ac yn y man.'

Nodiodd Owain, gan sylweddoli efallai fod y ffaith nad oedd o'n hoffi Duffy yn cymylu ei farn ac yn ei rwystro rhag rhoi'r bêl iddo.

Cafodd gyfle i wneud iawn yn gynnar yn yr ail hanner, ond doedd Duffy ddim yn ddigon cyflym i gymryd y pas a bwrodd y bêl yn ei blaen.

'Dere, Duffy!' rhuodd Gavin. 'Cadwa dy lygaid ar beth sy'n mynd 'mlân!'

Rhythodd Duffy ar Owain a gwgu.

Y tro nesaf y cafodd Owain y bêl yn ei ddwylo, taflodd bas berffaith i Duffy, ond oedodd y canolwr mewnol cyn penderfynu beth i'w wneud nesaf, ac o fewn dim roedd blaenwyr Glan Efa yn heidio o'i gwmpas.

Llwyddodd Owain i sgorio gôl gosb ond gyda dim ond

pum munud i fynd, roedd Craig-wen yn colli o 13-9.

'Dowch 'laen, Craig-wen!' daeth cri uchel o'r llinell ystlys a gwenodd Owain ar Dylan, wrth i'w chwaer chwifio baner roedd hi wedi'i gwneud yn arbennig ar gyfer y gêm.

Ar ôl y llinell nesaf, cydiodd Owain yn y bêl, a phan welodd fwlch, penderfynodd redeg drwy ganol y cae. Cafodd y gorau ar dacl a doedd o ddim ond ddeng metr o'r llinell gais pan fwriodd un o'r brodyr Rhun i mewn iddo o'r chwith. Wrth iddo ddisgyn, trodd Owain a gweld dau o'i dîm yn rhedeg yn chwim i'w gefnogi. Duffy i'r chwith iddo, Dylan i'r dde.

'Pasia!' rhuodd Duffy ond pasio'r bêl i Dylan wnaeth Owain, gan ei fod o'n gyflym iawn dros bellter byr, a chroesodd yntau dros y llinell a thirio'r bêl o dan y pyst.

'Hwrê!' sgrechiodd Cadi, ac ymunodd gweddill cefnogwyr Craig-wen gyda'i dathliadau.

Bwriodd Owain y cais i'w le a gan eu bod bellach ar y blaen o dri phwynt, canolbwyntiodd Craig-wen ar gyfyngu'r gêm ymysg y blaenwyr, a chicio'r bêl i ddwylo'r gwrthwynebwyr am yr ychydig funudau nesaf. Wedi'r chwiban olaf, ysgydwodd law gyda bechgyn Glan Efa a'i gyd-aelodau ar y tîm, a cherdded draw at ei deulu.

'Da iawn, 'ngwas i,' meddai ei dad, gan ei guro ar ei gefn. Gwnaeth ei fam a'i daid ei longyfarch hefyd a rhoddodd y ddau arian poced iddo.

'Oes 'na sôn am dy ffôn di bellach?' gofynnodd ei fam.

'Dim eto, ond dwi'n gobeithio y ca' i o'n fuan,' atebodd Owain.

Galwyd ef yn ôl i'r cae gan chwiban uchel, gan fod Mr Hoey eisiau iddyn nhw setlo ar ôl cyffro'r gêm, a chael trafodaeth fer am y modd roedden nhw wedi chwarae.

Parhaodd Duffy i edrych yn flin ar Owain, ond roedd Mr Hoey yn canmol ei ymdrech hwyr yn frwd a'r penderfyniad cyflym wnaeth o i basio'r bêl i Dylan.

'Byddi di'n ôl yn safle'r maswr wythnos nesa, Duffy,' dywedodd, 'ond o hyn 'mlaen ni angen gweld y math o benderfyniad cyflym ddangosodd Morgan. Nawr ewch i newid a byddwn ni'n ôl ar y bws mewn ugain munud.'

Prysurodd Owain draw i ffarwelio gyda'i deulu a diolchodd i fam a chwaer Dylan am eu cefnogaeth lafar.

'Wela i di dros Galan Gaeaf, Cadi,' gwaeddodd wrth iddo adael. 'Beth fydd dy wisg di?'

'Dydi hi ddim angen gwisg. Mae'n ddigon brawychus fel y mae hi!' chwarddodd Dylan wrth iddyn nhw ddringo grisiau'r bws.

PENNOD
PEDWAR AR DDEG

Roedd y trip i'r gogledd wedi codi calon Owain. Er ei fod o'n mwynhau byw yng Nghraig-wen, roedd o'n dal i hiraethu am ei fam a'i dad, a'i daid wrth gwrs.

Yn ôl yn yr ysgol, roedd Mr Dwyfor, yr athro hanes, wedi dweud wrthyn nhw na fyddai amserlen yr ysgol yn caniatáu i Owain amddiffyn ei deitl eleni, er pa mor ffantastig oedd y ffaith ei fod wedi ennill cystadleuaeth yr Hanesydd Ifanc y llynedd. Roedd Owain yn falch, yn dawel bach. Roedd o wedi gweithio'n galed iawn ar y prosiect ond gwyddai ei fod wedi ennill gan fod ei ffrind ysbryd, Johnnie L Williams, wedi rhoi mantais iddo.

Doedd Mr Dwyfor ddim am adael iddyn nhw laesu dwylo, fodd bynnag, gan fod yn rhaid i'r bechgyn lunio prosiect ar gyfer eu harholiadau, ac roedd o'n disgwyl i bob un ohonyn nhw ddewis pwnc addas erbyn y wers hanes nesaf.

Cornelodd Owain wrth i'r wers ddod i ben.

''Wy'n gwybod dy fod ti'n fishi gyda'r rygbi a phopeth arall, Owain,' dechreuodd yr athro, 'ond mae gen ti dalent am hanes ac fe hoffwn i ti dreulio tamed bach o amser yn dewis pwnc. Allet ti gael A yn dy arholiadau os gwnei di ddewis y pwnc iawn ar gyfer y prosiect. Cymer amser i gnoi cil ac fe gawn ni sgwrs wythnos nesa.'

Roedd hi'n ddiwrnod cynnes felly aeth Owain ac Alun am dro i lawr i'r coed ar ôl eu gwersi. Dywedodd Owain wrth Alun am y modd roedd Dylan wedi gallu gweld Dic hefyd, ond bod y profiad wedi'i styrbio damed bach.

Chwarddodd Alun. 'Biti na faswn i'n gallu gweld Dic yn fwy aml. Roedd o'n foi mor neis. Ac mae adnabod ysbryd mor cwl ...'

Camodd y ddau i'r llwyni a cherdded heibio'r fan lle lifai'r ffrwd. Roedd rhywun yno'n tyrchu wrth fôn y garreg.

'Helô?' meddai Owain.

Cododd y gŵr ifanc ar ei draed a sylweddolodd Owain ei fod o wedi'i weld ychydig wythnosau ynghynt. Adnabu'r crys rygbi â'r cylchoedd coch a glas tywyll roedd o'n ei wisgo wrth iddo gamu yn nes.

'Esgusodwch fi,' meddai'r gŵr ifanc, 'chlywais i mohonoch chi'n dod. Odw i'n eich adnabod chi o rywle?'

'Wn i ddim sut. Fy enw i yw Owain Morgan a dyma Alun Huws. Pwy wyt ti?'

'Mae'n flin gen i. Dylen i fod wedi cyflwyno fy hun. Fy enw i yw Sam ... Sam Morris,' eglurodd.

Lledodd llygaid Owain ac Alun.

'Y Sam Morris?' torrodd Owain ar ei draws. 'Aethon ni i Erddi Alexandra ym Mharc Cathays i weld y garreg goffa i'r gwirfoddolwyr o Gymru a aeth i ymladd yn Rhyfel Cartref Sbaen ychydig wythnosau yn ôl.'

'Wy'n cofio nawr,' dechreuodd Sam. 'Wy'n gyfarwydd iawn â'r ardd. Fe fydda i'n mynd yno'n weddol aml i gofio am rai o'r hen frodyr a gollwyd yn Sbaen. Fe'ch gwelais i chi yno. Bechgyn Craig-wen ydych chi, yntê?'

'Ie,' atebodd Owain. 'Ond pam wyt ti yma? Ddest ti draw am dy fod ti wedi'n gweld ni yn yr ardd?'

'Wy ddim yn rhy siŵr. Ond mae 'na rywbeth ar droed

yma. Welais i ysbryd arall yma neithiwr hefyd. Ddywedodd o wrtha i nad yw e ond yn ymddangos yma pan mae problem ...'

'Dic fyddai hwnnw,' meddai Owain. 'Cafodd ei ladd yn chwarae rygbi ym Mharc yr Arfau.'

''Wy'n cofio chwarae ym Mharc yr Arfau yn erbyn Morgannwg unwaith. A wnes i chwarae rygbi mewn twrnament dros sir Gaerfyddin yn y fan yma hefyd. Dyma pam mae'r llecyn hwn yn agos at fy nghalon. Roedd Coleg Craig-wen yn arfer defnyddio'r gornel hon o'r dolydd i chwarae rygbi flynyddoedd yn ôl pan oedd dipyn o waith adeiladu ar gae'r ysgol. Rhyw dir gwyllt oedd e ond fe gawson nhw gae rygbi gwastad yma bryd hynny. Wnaethon ni eich maeddu chi'n rhacs, os 'wy'n cofio'n iawn, ac fe faeddon ni dîm y Kings hefyd. Wedyn fe arhoson ni i gyd yn y coleg dros nos, a chael croeso hyfryd. Ro'n ni i gyd yn meddwl bod bechgyn tîm rygbi Craig-wen yn hen fois iawn, ond collwrs gwael ofnadwy oedd bois y Kings.'

Syllodd Owain ar y newydd-ddyfodiad. Doedd o ddim yn deall pam bod trydydd ysbryd wedi cyrraedd yr ysgol. *Pam fi?* meddyliodd.

'Oes unrhyw un wedi gallu dy weld ers i ti farw?' holodd Alun.

'Na ... 'wy ddim yn credu,' atebodd Sam. 'Mae'n anodd gwybod. Weithiau 'wy'n gweld pobl yn syllu arna i, ond dydyn nhw byth yn siarad 'da fi. Ond ro'n i'n un swil iawn hefyd a 'wy ddim yn rhy hoff o siarad am y busnes marw 'ma.'

'Dwi ddim yn deall y busnas ysbryd 'ma'n iawn chwaith,' meddai Owain. 'Ti yw'r trydydd un i mi ei gyfarfod mewn dwy flynedd a doedd neb arall yn gallu eu gweld nhw. Ond rŵan mae Alun yn gallu gweld ysbrydion os ydi o efo mi.'

'Falle bod hynny oherwydd ein bod ni yng nghanol cyfnod anodd iawn pan welais i Dic am y tro cynta?' gofynnodd Alun. 'Ella bod Sam yn mynd i allu datrys dirgelwch y dwyn?'

'Daliwch sownd, os gwelwch yn dda,' meddai Sam. ''Wy ddim yn dditectif, dim ond glöwr sydd wedi hen farw. 'Wy ddim yn un da iawn am ddatrys unrhyw ddirgelwch.'

'Mae'n iawn,' gwenodd Owain. 'Paid â phoeni am hynna. Dwi ddim hyd yn oed eisiau dechrau trio egluro ffonau symudol i ti!'

Eisteddodd y tri gan sgwrsio am ysgol a rygbi am ychydig, cyn i Owain gael syniad.

'Fyddai ots gen ti petawn i'n dy gyfweld di am hanes dy fywyd?' gofynnodd i Sam. 'Mae gynnon ni brosiect mawr i'w wneud ar gyfer ein dosbarth hanes a byddet ti'n berffaith.'

'Felly 'wy'n rhan o hanes nawr?' ochneidiodd Sam.

'Wyt. Mae plant yn yr ysgol yn dysgu amdanat ti. Oeddet ti ddim yn gwybod hynny?'

'Nag oeddwn. Ond mae'n siŵr bod hynny'n beth braf, am wn i. Dim ond gwneud fy rhan wnes i. Doedd e'n fawr o ddim byd.'

'Baswn i wir yn hoffi dod i wybod mwy amdanat ti. Plis?'

'Wel, olreit 'te. Dere â dy bin inc a dy lyfr nodiade yma fory ac fe allwn ni siarad.'

'E … pin inc? Dwi'n meddwl bod gen ti lawer i'w ddysgu am ysgolion modern! Iawn 'ta, wela i di fory.'

Diflannodd Sam a chrwydrodd Owain ac Alun yn ôl i'w llofft.

'Syniad da, Owain,' meddai Alun. 'Biti na faswn i wedi

meddwl amdano fo o dy flaen di.'

'Ia, wel, dyna pam mai fi a dim ti yw Hanesydd Ifanc y Flwyddyn,' chwarddodd Owain, gan roi tân dani, a brasgamu i fyny'r grisiau gan adael Alun yn llusgo'i draed ar ei ôl.

PENNOD PYMTHEG

Roedd gêm gyntaf y tîm iau yn erbyn Sant Oswyn ar fin cychwyn, a chymerodd Owain ei le ar y llinell ystlys. Roedd y gemau yma wastad yn tynnu tyrfaoedd mawr o ddisgyblion a chyn-ddisgyblion o'r ysgolion, oedd yn rhoi mwy o bwysau fyth ar y bechgyn.

Doedd hynny ddim yn poeni Owain, oedd wedi cadw'i ben a chicio cais munud olaf o flaen stadiwm lawn, bron, ym Mharc yr Arfau i ennill y Cwpan dan 13. Bu'r profiad hwnnw'n ffordd anhygoel o ddod â'i flwyddyn gyntaf yng Ngraig-wen i ben – a'i flwyddyn gyntaf yn chwarae rygbi.

Roedd pethau'n wahanol y tro hwn. Roedd o'n cael ei gydnabod fel chwaraewr da iawn ac roedd ei ddyrchafiad i'r sgwad iau yn cydnabod hynny.

Daeth y timoedd ynghyd ar gyfer y lluniau i'r wasg, ac wrth iddyn nhw wasgaru, cododd Owain ei law ar fechgyn ei ddosbarth yn chwarae ar y cae yn eu gwisgoedd gwyrdd a gwyn amrywiol, tra oedden nhw'n cario baneri yn datgan gwychder Craig-wen.

Dangosodd y chwaraewyr pa mor wych oedden nhw ar y cae hefyd, wrth iddyn nhw arwain y blaen o 24-0 ar hanner amser.

'Gwaith da, bois,' meddai Mr Charles yn ystod y toriad. 'Ry'n ni'n rheoli'r chwarae'n dda i fyny'r cae, ac mae'r cefnwyr wedi cadw popeth yn syml. 'Wy moyn gwagio'r fainc dros yr ail hanner, fel eich bod chi'i gyd yn cael profi chwarae o flaen tyrfa fawr, ond wna i ddim gwneud unrhyw beth nes yr ugain munud ola. Cadwch i wneud beth ry'ch chi'n ei wneud a cheisiwch ychwanegu at y sgôr.'

Sgoriodd yr ail reng, Jon Myrddin, ddau gais i Graig-wen, a lledodd y bwlch rhyngddyn nhw a Sant Oswyn, a daeth Mr Charles a phedwar blaenwr newydd ymlaen hanner ffordd drwy'r ail hanner. Nodiodd ar Owain a gweddill yr eilyddion, gan agor ei law yn fawr i ddangos y bydden nhw ar y cae ymhen pum munud.

Canolbwyntiodd Owain ar y gêm, gan baratoi i gael ei alw i'r cae, ond roedd ei nerfau'n rhacs.

'Reit, Morgan, Tomos, Geraint, well i chi dwymo – chi 'mlân ar ôl y toriad nesa yn y chwarae.'

Rhedodd Owain i fyny'r llinell ystlys ychydig o weithiau, gan anwybyddu galwadau o anogaeth a chellwair ei ffrindiau, a phan roddodd Mr Charles yr arwydd iddyn nhw fynd ymlaen, aeth yn syth i'w safle.

'Dim cyfarwyddiadau arbennig gan yr hyfforddwr 'te?' gofynnodd Brython.

'Na, wnaeth o jest dweud "cadwa pethau'n dynn a chadwa'r llinell gais yn glir",' meddai Owain.

Roedd blaenwyr Craig-wen yn llawer mwy a chryfach na'u gwrthwynebwyr ac roedd bob sgrym, llinell, ryc, neu sgarmes yn rhwydd iddyn nhw. Cafodd Owain ychydig o basys a chiciodd nhw i gyd i fyny'r cae lle dechreuodd y blaenwyr eu bwydo nhw'n ôl unwaith eto.

Roedden nhw 39-0 ar y blaen wrth iddyn nhw fynd mewn i'r munud olaf, a phan drawodd Jon y bêl ymlaen, cydiodd mewnwr Sant Oswyn ynddi a tharanu i fyny'r cae. Owain oedd y cyntaf i wibio ar ei ôl, ac erbyn iddo groesi llinell 22 Craig-wen, roedd o wrth gwt y rhif 9. Edrychodd chwaraewr Sant Oswyn dros ei ysgwydd, a chafodd ei fwrw oddi ar ei echel pan welodd Owain wrth ei gwt, ac oedodd am eiliad. Trawodd Owain y chwaraewr ddeng metr o'r linell gyda thacl wnaeth i'r chwaraewr hedfan ac a yrrodd y bêl yn troelli o'i afael a'i gyrru'n powlio dros y llinell gwsg.

Helpodd Owain fewnwr Sant Oswyn ar ei draed wrth i'r dyfarnwr chwythu'r chwiban olaf. 'Ddrwg gen i am hynna,' meddai gan wenu'n anesmwyth.

'O, chi'n dipyn gwell na ni,' atebodd y chwaraewr. 'Doedden ni ddim wir yn haeddu cais gysur.'

Curodd cefnogwyr Craig-wen eu dwylo wrth i'r timoedd ddod oddi ar y cae ac roedd gan Mr Charles wên fawr brin ar ei wyneb.

'Gwaith gwych, bois,' dywedodd. 'Roedd hwnna'n berfformiad effeithiol iawn a rydych chi'n haeddu ennill o gymaint â hynna. Nawr ein bod ni yn rownd yr wyth olaf, bydd bob gêm o hyn ymlaen yn llawer caletach. Felly gadwch i ni eich gweld chi i gyd ar ôl ysgol fory am ymarfer sydyn a thrafod beth allwn ni ei wneud yn well.'

Yn hwyrach y noson honno, roedd Owain yn gorwedd ar ei wely, yn syllu ar y nenfwd nes dechreuodd ei lygaid deimlo'n drwm. Roedd y tymor yn hedfan ac roedd o wedi ymarfer bob diwrnod, bron. Roedd o'n teimlo'n ffit iawn, ond roedd o angen mwy o gwsg nag arfer.

'Owain ...' daeth llais petrusgar. 'Wyt ti ar ddi-hun?'

Agorodd Owain ei lygaid a dychrynodd damed wrth weld Dic yn sefyll wrth droed ei wely. Ddaeth Dic erioed i mewn i'r ysgol o'r blaen, heblaw am un ymweliad i'r llyfrgell.

'Dic, beth wyt ti'n ei wneud yma?'

'Ddrwg gen i, Owain. Fe glywais i lais yn dweud wrtha i am siarad efo ti mor glou â phosib. Gobeithio bod dim ots gen ti 'mod i'n ymweld â ti 'ma.'

'Mae hi'n iawn, ond beth sy'n bod?'

''Wy ddim yn sicr beth mae e'n feddwl,' aeth Dic yn ei flaen, 'ond y neges oedd, "dere o hyd i rywun i droi'r rhosyn yn y lle tân wrth i ti wthio ar gorneli'r trapddrws". Ydy hynna'n gwneud synnwyr i ti?'

Gofynnodd Owain i Dic ailadrodd y cyfarwyddiadau cyn iddo egluro am y trapddrws a'r ffonau coll.

Er syndod, roedd Dic yn gwybod eithaf tipyn am ffonau symudol, gan ei fod wedi treulio'r rhan fwyaf o'i amser ers ei farwolaeth yn stadiwm Parc yr Arfau, lle roedd o wedi gweld pob math o ddatblygiadau ers tros ganrif.

'Diolch, Dic,' meddai Owain. 'Byddai'n well i mi ddisgwyl nes i'r bechgyn ddod yn ôl cyn i mi drio hynna. Gyda llaw, dwi'n clywed dy fod ti wedi cyfarfod yr ysbryd arall, Sam?'

'Do, ac roedd o'n dipyn o syrpréis i mi. Mae e'n fachan neis ond mae tamed bach o ddirgelwch bytu fe ...Wy'n credu ei fod e'n chwilio am rywbeth ar bwys y garreg.'

PENNOD
UN AR BYMTHEG

Daeth Alun a Dylan i'r llofft ychydig ar ôl i Dic adael a dywedodd Owain wrthyn nhw am ei neges ddirgel.

'Mae'n edrych fel bod gen ti gysylltiadau gwirioneddol gyda byd yr ysbrydion, Owain,' meddai Alun. 'Mae rhywun yn ceisio ein helpu ni.'

Roedd rhosyn haearn du yng nghanol yr hen le tân oedd wedi'i hen gau, a chydiodd Alun ynddo wrth i'r ddau arall grafangio o dan y gwely.

'Rŵan,' gwaeddodd Owain wrth iddo fo a Dylan roi eu pwysau ar gorneli'r trapddrws. Roedd y rhosyn yn sownd ac roedd o angen dipyn o nerth bôn braich gan Alun, ond cyn bo hir, llwyddodd i'w lacio a clywodd y bechgyn sŵn mecanwaith rhydlyd yn rhygnu yn y pellter.

Roedd y trapddrws yn teimlo'n llac o dan law Owain. Gwthiodd yn galed nes daeth y gornel yn rhydd a chafodd o a Dylan eu dwylo oddi tano. Gwthiodd y bechgyn y trapddrws trwm o'r ffordd a syllu i lawr i grombil y twll.

'Oes gan rywun fflachlamp?' gwaeddodd Owain a daeth Alun â'r lamp feic roedd o'n ei defnyddio i ddarllen yn hwyr yn y nos iddo.

Oedodd Owain wrth iddo sgleinio'r lamp i lawr y twll a gweld bod grisiau byr yn arwain i fyny i'r agoriad. Edrychodd ar ei ffrindiau, gwenu'n nerfus a dweud, 'Ffwrdd â fi.'

Camodd i lawr gan symud golau'r lamp o'r chwith i'r dde wrth iddo fynd. Galwodd ar ei ffrindiau o'r gwaelod a dilynon nhw ef i lawr, Dylan i ddechrau ac yna Alun. Fflachiwyd y golau o un ochr yr agoriad i'r llall wrth i'w llygaid gyfarwyddo gyda'r tywyllwch. Roedd drws gyda bollt ar ei draws a chlo enfawr wedi'i selio ar y wal, ar yr ochr chwith. Ar y dde, roedd drws arall oedd yn edrych fel petai'n gilagored.

'Ydych chi eisiau mynd i fewn i fan'na?' gofynnodd Owain.

'Ia, gadwch i ni weld i ble mae o'n arwain,' atebodd Dylan.

'Daliwch eich gafael bois, arhoswch am eiliad. Clywson ni swn ein ffonau i lawr yn fan'ma. Oni ddylen ni fod yn chwilio amdanyn nhw i ddechrau?' cynigodd Alun.

'Syniad da,' meddai Dylan.

Aeth Owain yn ei flaen, ei lamp yn goleuo pob cornel o'r stafell, a dyna lle roedd y tri ffôn yn gorwedd ar fainc fechan yn erbyn y wal.

Trodd Owain am y drws agored a llithro drwyddo heb gyffwrdd y bwlyn. Sylweddolodd ei fod mewn coridor a gwelodd ysgol tua phymtheg metr i ffwrdd. Dangosodd hi i'w ffrindiau, gan ddal ei fynegfys i'w wefusau i ddangos ei fod eisiau iddyn nhw fod yn dawel, cyn dechrau dringo'r ysgol.

Oedodd pan gyrhaeddodd ben yr ysgol – yno roedd trapddrws arall. Gwrandawodd. Roedd swn siarad a chwerthin aneglur i'w glywed ac roedd golau'n treiddio drwy ymylon yr agoriad.

Aeth yn ôl i lawr yr ysgol yn ofalus, gan amneidio ar Alun a Dylan i aros yn dawel a'u harwain yn ôl i lawr y coridor. Cyfrodd ei gamau wrth iddo fynd a stopio wrth droed y grisiau i'w llofft.

'23, 24, 25 ... 26,' sibrydodd.

'Beth oedd hynna?' gofynnodd Dylan.

'Mae o'n cyfri'r camau o'n stafell ni at bwy bynnag arall sydd wedi bod yn defnyddio'r coridor yma,' dywedodd Alun. 'Os gwnaiff o gyfri dau ddeg chwech cam allan o'n drws ni, bydd o y tu allan i'w drws nhw.'

'Yn union,' gwenodd Owain. 'Rŵan, beth wyt ti eisiau ei wneud am y ffôn, Alun? Dwi'n dueddol o gytuno gyda Dylan a gadael pethau fel maen nhw am rŵan.'

Cytunodd Alun â'r cynllun a dringodd y tri yn ôl i'w llofft. Heb oedi am eiliad, dechreuodd Owain gyfri eto, cerdded allan o'r stafell a throi i'r chwith i lawr y coridor. Tawelodd wrth iddo ddod i ddiwedd ei gamau a gwneud siâp ceg '26' ar ei ffrindiau wrth iddo aros yn union y tu allan i ddrws llofft 11.

Lledodd llygaid Alun wrth i wyneb Dylan dywyllu.

Trodd y tri ar eu sawdl a dychwelyd i'w llofft gan gau'r drws yn dynn ar eu hôl.

Syllodd y tri ar ei gilydd, yn wyliadwrus o'r hyn fyddai'n digwydd nesaf.

Alun oedd y cyntaf i ddweud y gair oedd ar flaen eu tafodau. 'Duffy!'

PENNOD
DAU AR BYMTHEG

'Dim jest Duffy,' meddai Dylan, 'ond Selyf, Prothero a Humphries hefyd.'

'Byddai'n well i ni wneud yn siŵr ein bod ni'n hollol iawn am hyn, hogia,' meddai Owain. 'Wnaiff y gang yna ein dinistrio ni os gwnawn ni gamgymeriad. Mae angen i ni ddweud wrth yr athrawon am hyn cyn gynted â phosib.'

'Ond mae Mr Hopcyn a thad Duffy yn ffrindiau gorau,' cwynodd Alun. 'Mae o wastad yn mynd ymlaen am faint o godi arian mae o'n ei wneud dros yr ysgol. Wnaiff o ddim byd iddo fo.'

'Iawn,' dywedodd Owain, 'dyma beth ry'n ni'n mynd i'w wneud. Ry'n ni'n dangos yr hyn ddarganfyddon ni i Mr Charles a Mr Mathews. Byddan nhw'n siŵr o wneud eu gorau i ddatrys y mater.'

'Tybed beth sydd y tu ôl i'r drws arall?' gofynnodd Alun.

'Roedd y clo 'na'n edrych yn eitha soled,' dywedodd Dylan.

'Drychwch, gora po gynta caiff hyn ei ddatrys er mwyn i ni gael ein ffonau yn ôl,' meddai Owain. 'Af i lawr i'r stafell athrawon rŵan.'

Aeth Dylan gydag o ac arhosodd Alun ar ôl i gadw llygaid ar y siambr ddirgel.

Roedd Mr Mathews yn siarad gyda Mr Charles y tu allan i'r stafell athrawon. Cyfarchodd Owain wrth iddo ddod i lawr y grisiau.

'Morgan, arwr y tîm iau, dwi'n clywed.'

Cochodd Owain gan bod Mr Charles yn bresennol a mwmialodd ei ddiolch.

'Mae'n ddrwg gen i darfu, ond ry'n ni wedi darganfod rhywbeth od yn ein stafell. Allwch chi ddod i fyny efo ni?'

Edrychodd yr athrawon yn llawn consyrn yn syth, ond sicrhaodd Owain nhw nad oedd o'n ddim byd peryglus ... neu o leiaf dyna roedd o'n ei obeithio.

Pan gyrhaeddon nhw'r stafell, eglurodd Owain sut roedd tri ffôn symudol wedi diflannu a sut roedden nhw wedi'u clywed yn canu. Soniodd o ddim am ran Mr Hopcyn yn eu darganfyddiad a sut daethan nhw o hyd i'r trapddrws. Eglurodd sut roedden nhw wedi dod o hyd i'r ffordd i mewn i'r siambr gudd hefyd – heb ddweud gair am Dic – a dangosodd y grisiau i'r athrawon.

Rhoddodd Alun ei lamp i Mr Charles ac arweiniodd yr hyfforddwr rygbi y ffordd i lawr y grisiau.

'Wnaethon ni ddim cyffwrdd yn y ffonau, syr, rhag ofn byddwch chi angen cymryd olion bysedd neu rywbeth?' meddai Dylan.

Daeth Mr Charles yn ôl i fyny drwy'r trapddrws ychydig funudau'n ddiweddarach. Gollyngodd y ffonau ar y gwely.

''Wy'n cymryd eich bod chi wedi darganfod yr ysgol ym mhen draw'r coridor. Unrhyw syniad i ble mae hi'n arwain?' gofynnodd.

'Oes, syr,' atebodd Owain. 'At stafell rhif 11. Duffy, Prothero ...'

Edrychodd Mr Charles ar Mr Mathews. 'Mae hyn yn beth hynod o annifyr ...' dechreuodd Mr Mathews.

'Peidiwch â phoeni am olion bysedd na dim byd felly,' meddai Mr Charles. 'Jyst byddwch yn hapus eich bod chi wedi cael eich ffonau yn ôl.'

'Ond syr —' dechreuodd Owain.

'Gaf i air gyda phreswylwyr rhif 11 ac alla i eich sicrhau chi na ddigwyddith hyn 'to.'

Yna gadawodd yr athrawon.

'Mae hynna yn codi gwrychyn rhywun,' meddai Alun.

'A dydyn nhw ddim yn mynd i'w cosbi nhw,' cwynodd Dylan.

Oedodd Owain ac edrych ar ei ddau gyd-letywr. 'Mae 'na rywbeth sydd ddim yn taro deuddeg yn y fan hyn,' dywedodd. 'Pam gadawodd gang Duffy y ffonau i lawr yn fan'na?'

'Roedden nhw jyst eisiau creu helynt ac roedden nhw'n gwybod byddai Rhodri yn gweld bai arna i,' dywedodd Dylan.

'Ella,' meddai Owain, 'ond pam nad ydyn nhw wedi mynd yn ôl i lawr yna? Mae 'na rywbeth ar goll yn fan hyn a dwi'n mynd i geisio darganfod beth ydi o.'

'Sut wyt ti'n mynd i wneud hynny?' gofynnodd Alun.

'Wn i ddim,' atebodd, gan wisgo ei hwdi, 'ond ella bydd gan un o'r ysbrydion syniad.'

Aeth Owain â llyfr nodiadau a beiro i lawr at y garreg, gan fod angen iddo ddechrau bwrw i mewn i'w brosiect hanes. Roedd o'n falch o weld Sam yno'n chwilota am rywbeth wrth droed y maen anferth.

'S'mai, Sam? Tybed ydi rŵan yn amser da i gychwyn y cyfweliad?'

Nodiodd Sam a sefyll, gan ymestyn ei esgyrn ysbryd. 'Deuparth gwaith yw ei ddechrau,' gwenodd.

Soniodd Sam wrth Owain am ei fagwraeth yn Nyffryn Aman ac fel roedd o'n mwynhau'r rhyddid gâi o wrth grwydro hyn lannau'r afonydd a'r llwybrau i fyny i Fynydd y Betws.

Soniodd am ei ddyddiau yn Ysgol Parcyrhun hefyd, ac fel y bu'n rhaid iddo adael yr ysgol a dechrau gweithio o dan ddaear yn y lofa pan oedd o'n dair ar ddeg, er mwyn iddo allu ennill cyflog ar gyfer ei deulu. Roedd o a'i ffrindiau wrth eu boddau yn dod i fyny o'r lofa amser cinio dydd Sadwrn a chael cyfle i chware gêm o rygbi yn y pnawn. Roedd o'n gwneud newid braf ar ôl wythnos galed yn y tywyllwch o dan y ddaear.

'Newidiodd pethau i mi ar ôl i mi ddechrau yn y lofa, fodd bynnag,' meddai Sam. 'Roeddwn i'n gallu gweld anghyfiawnder, a bryd hynny, roedden ni'n gallu gweld anghyfiawnder mewn rhannau eraill o'r byd hefyd. Dyna pam daethon ni i Gaerdydd i wrando ar y Sbaenwyr.'

'Sbaenwyr?' holodd Owain. 'Adeg Rhyfel Cartref Sbaen oedd hyn?'

'Rwyt ti'n gyfarwydd â'r hanes, wyt ti?' rhyfeddodd Sam. 'Go dda, fachgen. Roeddwn i'n meddwl bod y Cymry wedi troi cefn ar yr helbul hwnnw erbyn hyn.'

'Glywais i dy fod ti'n un o'r gwirfoddolwyr,' mentrodd Owain.

'Do fe nawr!' Agorodd Sam ei lygaid led y pen. 'Glywest ti ein bod ni wedi bod yng Nghaerdydd yma – Jac, Wil a finne – yn gwrando ar straeon Sbaen 'te?'

'Na, dwi ddim yn gyfarwydd â hynny.'

'1936 oedd hi – mis Tachwedd. Roedd Franco a'i fyddin yn ymosod ar yr ardaloedd gweriniaethol yn Sbaen ac roedd creulondeb mawr yno. Daeth llong o Wlad y Basg i ddociau

Caerdydd – roedd llawer o lo yn cael ei gludo o Gaerdydd i Bilbao, prifddinas Gwlad y Basg, bryd hynny, a mwyn haearn o weithfeydd cyfoethog y Basgiaid yn dod i'n ffwrneisi dur ninne. Roedd y morwyr o Wlad y Basg yn siarad Sbaeneg yn y cyfarfod a gŵr bychan pryd tywyll yn cyfieithu. Fernando Alberdi oedd ei enw – roedd yn athro Lladin yn dy ysgol di ond yn hanu o Wlad y Basg yn wreiddiol. Wrth glywed am y cam erchyll roedd Franco yn ei wneud yn erbyn pobl Sbaen a Gwlad y Basg, roedden ni ar dân erbyn diwedd y cyfarfod, gelli fentro.

'Cafodd y tri ohonon ni air cyflym gyda'n gilydd a dyna'r mater wedi'i setlo. Wnaeth y tri ohonon ni wirfoddoli i fynd i ymladd yn Sbaen yn y fan a'r lle. Roedd y llong yn yr harbwr wedi'i llwytho â glo ac yn hwylio yn ôl i Bilbao yn y bore. Fe berswadion ni'r ddau longwr i fynd â ni i'r doc ac fe sleifion ni ar fwrdd y llong. Roedden ni'n cuddio ar ryw sachau wrth y peiriannau. Ond, roedd rhywun wedi achwyn wrth yr heddlu. Fe ddaeth ditectif a thri plismon i'r llong yn yr orie mân. Daeth un o'r Basgiaid i chwilio amdanon ni a rhoi pistol yn fy llaw a mynd â ni lle roedd ysgol raff yn disgyn dros ochr y llong ac o fewn naid i'r doc. I lawr â'r tri ohonom ni, ond fe glywodd yr heddlu sŵn ein traed yn taro cerrig y cei ac fe glywon ni ergyd.'

'Roedden nhw'n saethu atoch chi!' Tro Owain oedd rhyfeddu bellach.

'Doedd yr awdurdodau ddim yn hidio taten am y gweithwyr bryd hynny. Cafodd dau ei saethu'n farw gan y fyddin adeg streic y rheilffyrdd yn Llanelli. Doedd dim amser i ddadlau – i ffwrdd â ni o'r dociau ac ar hyd llwybr glan yr afon.'

'Ddaeth yr heddlu ar eich ôl chi?'

'Roedd hi'n dipyn o helfa. Roedden ni'n eu clywed nhw'n dod ar garlam drwy'r tir gwyllt, dan y pontydd a bron cyn belled â'r fan hon ...'

'Yma! Wrth y garreg wen?' meddai Owain.

'Ie, wn i ddim a oedd golau rhyfedd ar y garreg y noson honno ond pan oedden ni newydd ei phasio mae'n rhaid bod un o'r heddlu wedi tybio mai un ohonon ni'n ffoi oedd hi. Saethwyd dryll. Fe glywson ni fwled yn taro'r garreg ac yna fe oedodd yr heddlu ar ei phwys. Fe oedon nhw'n rhy hir – roeddwn i wedi adnabod y ddôl, wedi i mi fod yn chwarae yma, ac wedi cofio'r ffordd i'r ysgol. Fe chwilion ni am Fernando Alberdi yn yr ysgol ac fe gafodd le i'n cuddio ni'n yr ysgol dros nos ac fe gymerodd y pistol oddi arnom ni y bore wedyn, gan y byddai'n llawer rhy ddanjerus i ni fynd ag ef yn ôl i Rydaman gyda ni.'

'Mae gennych chi le i ddiolch i'r garreg wen, felly,' gwenodd Owain.

'Oes, frawd,' meddai Sam. 'A dyna pam 'wy wedi bod yn dod yn ôl yma dros y blynyddoedd. Rhywle yn y tir gwyllt yma mae casyn y fwled saethwyd aton ni'r noson honno ond a drawodd y garreg yn ddigon diniwed. Fe fyddwn i'n hoffi cadw hwnnw i gofio am y ffordd wnaeth y garreg ein hamddiffyn ni y noson honno.'

'Ai am hwn rydych chi'n chwilio?' gofynnodd Owain gan ddangos casyn y fwled roedd o a Dic wedi'i ddarganfod wythnosau ynghynt. 'Wnes i ei ddarganfod yn fan'ma.'

'Ie wir!' ebychodd Sam, ond doedd ei wên ddim wir yn cyrraedd ei lygaid.

Dechreuodd fwrw glaw ac o fewn eiliadau roedd sŵn pitian-patian cyson ar y dail wrth iddi ddechrau bwrw'r drymach.

Aeth Owain i ymochel o dan goeden ond gwenu wnaeth ei ffrind newydd.

'Does 'na fawr o bwynt i mi fecso am ddala annwyd, oes 'na?' chwarddodd Sam. 'Ond cymer ofal,' ychwanegodd wrth iddo dynnu'r dail mwy trwchus dros y man lle safai Owain. 'Mae e'n fy atgoffa i o'r diwrnod gwnes i redeg yr holl ffordd adre o ganol Rhydaman gan ddefnyddio deilen riwbob fel ambarél. Roedd pawb ro'n i'n eu pasio yn meddwl 'mod i'n wallgo.'

Chwarddodd Owain hefyd wrth i Sam feimio'i ymdrechion i ymochel rhag y glaw.

'Byddai'n well i mi fynd tua thre,' meddai Owain, gan dynnu ei hwd yn dynnach amdano. 'Ond byddai'n grêt pe gallet ti ofyn i Dic gysylltu gyda mi y tro nesa bydd o yma.'

PENNOD DEUNAW

Cafodd Owain drochfa yn rhedeg ar draws y caeau chwarae yn ôl i'r llofft, a phan ddihunodd o'r bore wedyn, sylweddolodd ei fod wedi dechrau snwffian. Erbyn amser cinio, roedd o'n tisian ac anfonodd Mr Charles ef i weld y nyrs, Miss Probert, a ddywedodd wrtho am fynd yn ôl i'w wely.

'Cer â'r ddiod mêl a lemwn 'ma gyda thi a cheisia gysgu,' dywedodd wrtho. 'Ddof i lan i dy weld ti tua pedwar o'r gloch. Pa ddosbarthiade sy gen ti prynhawn ma? Ddyweda i wrth yr athrawon.'

Rhestrodd Owain y gwersi y byddai'n ei golli ond cofiodd rywbeth arall. 'O, Miss, allwch chi ddweud wrth Mr Charles hefyd. Bydd o'n fy nisgwyl i ymarfer ar gyfer y tîm iau. Mae gynnon ni gêm fawr fory,' dywedodd.

'Fory? 'Wy ddim yn credu byddi di'n ddigon da i chwarae fory,' meddai wrtho. 'Ond wna i adael i Mr Charles wybod.'

Teimlai Owain yn ddigon diflas fel roedd hi, heb golli'r gêm rygbi fawr hefyd. Pam mai'r dyddiau lle roeddech chi'n cael aros yn y gwely oedd y dyddiau lle roeddech chi'n teimlo yn rhy ofnadwy i'w fwynhau o?

Aeth i gysgu yn y diwedd ond fe'i dihunwyd gan sŵn siffrwd yn y gornel. Agorodd un llygad a gweld Dic yn edrych o dan wely Alun lle roedd y trapddrws.

'Hei Dic,' dywedodd, 'beth wyt ti'n ei wneud yma?'

'Ddywedodd Sam dy fod ti eisiau fy ngweld i,' atebodd. 'Ac

roeddwn i'n crafu pen am y neges am y trapddws – 'wy'n cymryd taw'r trapddrws yw'r un o dan y gwely yma?'

'Ie,' meddai Owain. 'Mae o'n arwain at goridor cudd sy'n mynd i fyny i lofft arall. Roedd yr hogia sydd yno yn ei ddefnyddio i sleifio i mewn i fan'ma i ddwyn ein ffonau ni. Roedd o'n rhyfedd, fodd bynnag, achos wnaethon nhw jyst cymryd y ffonau o'r fan hyn a'u gadael nhw i lawr yn y stafell gudd. Wnaethon ni ddweud wrth yr athrawon, ond dydyn nhw ddim fel petai ganddyn nhw ddiddordeb mewn darganfod dim mwy am bwy wnaeth a pham. Mae 'na ail ddrws i lawr yna hefyd, gyda chlo enfawr arno fo. Mae o'n ddirgelwch mawr.'

'Ga i bip o gwmpas. Pam wyt ti yn dy wely'n ystod y dydd?'

'Wnes i ddeffro efo annwyd bore 'ma. Mae'r nyrs yn dweud na alla i chwarae yn rownd yr wyth olaf y Cwpan Iau fory, sy'n boen.'

'Wel, mae hi'n siŵr o fod yn iawn. Dyw hi byth yn syniad da i chwarae gêm mor glou ar ôl annwyd. 'Wy wedi gweld nifer o fois yn gwaethygu. Gwna'n siŵr dy fod ti'n iawn ar gyfer y rownd gynderfynol. Byddan nhw'n iawn hebddot ti fory.'

Roedd Dic yn iawn, wrth gwrs, ac roedd Owain yn dal yn ei wely pan wnaeth Craig-wen guro Coleg Bro Myfi yn rownd yr wyth olaf. Daeth Rhodri yn syth i'r stafell i roi hanes y gêm iddo gam wrth gam.

'Roedd hi'n rhy agos i Charles wagio'r fainc, felly chafodd Prysor ddim cyfle i chware,' chwarddodd. 'Doedd o ddim yn rhy hapus am hynna. A chafodd Padrig Bwcle gnoc felly cafodd Gaf gyfle i fynd 'mlaen. Mae'n siŵr 'mod i wedi symud i fyny yn nhrefn dewis mewnwyr hefyd ...' ychwanegodd.

'Yn bendant,' meddai Owain. 'Ond dwi'n credu na allan nhw ddim ond defnyddio bechgyn maen nhw wedi'u hanfon eu henwau cyn i'r cwpan ddechrau.'

'O,' meddai Rhodri, yn siomedig yn sydyn.

'Ddrwg gen i ddweud hynna wrthat ti, mêt. Ond dyna ydi'r rheolau dwl.'

'Ond beth os ...' dechreuodd Rhodri, cyn ochneidio. 'O wel, mae blwyddyn nesa heb ei chyffwrdd. Mae gynnon ni dîm da – neu mi fydd gynnon ni ar ôl i ni dy gael di'n ôl beth bynnag.'

Roedd Dylan ac Alun wedi cyrraedd ac eisteddodd y pedwar yn trafod rygbi am ychydig cyn i Dylan ddweud un o'i jôcs gwirion a wnaeth i bawb chwerthin.

'Diolch am ddod i 'ngweld i, hogia,' chwarddodd Owain. 'Dim ond biti nad oedd neb yn poeni digon i ddod â llond dwrn o rawnwin i mi.'

PENNOD
PEDWAR AR BYMTHEG

Daeth Owain ato'i hun yn gyflym ac ychydig ddyddiau wedi'r gêm iau roedd o'n ôl ar ei draed. Ond cymerodd gwpwl o ddyddiau ychwanegol iddo allu dychwelyd i ymarfer.

'Iawn, Owain, mae'n dda dy gael di'n ôl,' galwodd Brython wrth iddo loncian ar y cae ymarfer. 'Shwt wyt ti'n teimlo?'

'Iawn, diolch,' atebodd. 'Barod amdani.'

'Reit, mae amheuaeth a fydd Rolant yn chwarae yn y rownd gynderfynol – mae ei hen anaf wedi bod yn ei boeni,' meddai'r capten. ''Wy moyn i ti weithio gyda chefnwyr y tîm cynta, jest rhag ofn y bydd yn rhaid i ni ddod â ti i'r sgwad. Dyw Mr Charles yn dala ddim yn sicr os dyle fe stico gyda Prysor ond 'wy'n dy wthio di'n galed.'

Nodiodd Owain a chymryd ei le gyda'r cefnwyr. Aeth y sesiwn yn dda, ond pan ddaeth hi'n amser aildrefnu llinell gefn y tîm cyntaf, galwodd Mr Charles enw Prysor Woods.

'Ocê, Woods, gad i ni weld beth alli di'i wneud gyda'r cryts mawr,' galwodd, wrth i Owain wasgu'i ddannedd yn dynn. Edrychodd Brython draw, a'i ystum yn awgrymu ei fod wedi trio'i orau, ac mai'r athro oedd wedi gwneud y penderfyniad terfynol.

Gwnaeth Prysor yn iawn hefyd, ond roedd Owain yn dal i feddwl ei fod o'n well maswr. Roedd Prysor yn rhy araf yn gwneud penderfyniadau ac roedd o'n cael ei ddal yn aml pan oedd ganddo feddiant o'r bêl. Gwyddai Owain ai pas neu gic oedd y dewis gorau cyn i'r mewnwr hyd yn oed droi i basio'r bêl iddo. Roedd o wir yn dymuno cael cyfle arall i ddangos hynny i Mr Charles.

Rhoddwyd Owain yn safle'r cefnwr a gwaeth ychydig o dacls a daliodd y bêl yn dda unwaith a'i chicio, ond dyna'r cwbl o chwarae a gafodd mewn ugain munud ar y cae.

Daeth Brython i chwilio amdano ar ôl ymarfer a rhoddodd ei fraich dros ysgwydd Owain a dweud wrtho am barhau i ganolbwyntio, gan y byddai ei gyfle o'n dod.

'Diolch,' meddai Owain, 'ond dwi'n meddwl baswn i'n well yn chwarae i'r tîm dan 14 am weddill y tymor.'

'Na fyddet ddim,' mynnodd Brython. 'Mae hyn yn llawer caletach, mae'r ymarfer yn well, ac mae'r gemau'n fwy cystadleuol. Ti ddim yn sylweddoli nawr ond ti'n dod yn well chwaraewr bob dydd. Dalia ati ac fe gei di dy gyfle. 'Wy'n siŵr o hynny.'

Y penwythnos canlynol aeth Owain a Dylan adref i Ddolgellau. Gan eu bod bellach yn bedair ar ddeg, roedd eu rhieni wedi penderfynu y gallen nhw deithio ar y bws, cyn belled â'u bod yn aros gyda'i gilydd. Roedd hi'n dipyn o antur i'r ddau – roedd eu hannibyniaeth newydd yn gyffrous.

'Unrhyw gynlluniau ar gyfer y penwythnos?' gofynnodd Dylan.

'Bwyta, cysgu, a gwylio rhywfaint o deledu lle na fydda i'n gorfod rhannu'r teclyn remôt gyda chwech deg o bobl eraill,' chwarddodd Owain.

'Ia, dwi ar fy ngliniau. Dwi angen bwyd cartref a dim llawer mwy na hynny. Ella gwela i di o gwmpas y dre?'

'Ia, bag o sglodion fory, dweud ... tua chwech o'r gloch?'

Roedd tad Owain yn disgwyl amdanyn nhw ger yr

arhosfan bysus a rhoddodd lifft adref i Dylan hefyd. Cododd
Cadi ei llaw arnyn nhw o'r ffenest.

Cafodd Owain y penwythnos dioglyd y gobeithiodd
amdano, a bu'n sglaffio pastai'r bugail a chig eidion rhost, a
mwynhau'r pleserau syml o fod adref gyda'i dad a'i fam.
Galwodd draw i weld ei daid hefyd ac yn naturiol, gofynnodd
iddo a oedd o wedi clywed am y gwirfoddolwyr o Gymru aeth
i ymladd i Ryfel Cartref Sbaen.

'Do, Tad,' meddai ei daid.

'Dwi'n gwneud prosiect hanes ar y cyfnod,' meddai
Owain, 'a gan eich bod chi wedi bod mor ddefnyddiol y
llynedd ...'

'Ha, am lol! Dy waith caled di enillodd y gystadleuaeth i ti.
Dwi ddim yn gwybod cymaint â chymaint am y rhyfel ond fe
wnes i ddarllen llyfr diddorol iawn amdano unwaith. Roedd
yna lawer o Gymry'n bleidiol iawn i Weriniaeth Sbaen, a
hynny o bob haen gymdeithasol. Roedd Lloyd George a'i
deulu yn helpu ffoaduriaid Gwlad y Basg, a'r Arglwydd Davies,
perchennog dociau'r Barri, yn noddi cartrefi i ffoaduriaid.
Roedd llawer o lowyr a morwyr yn rhoi cymorth ymarferol
hefyd. Ond bu llawer iawn o golledion yn ystod y rhyfela.'

Nodiodd Owain, gan ddiolch i'w daid am yr wybodaeth,
cyn iddo fynd ymlaen i ddweud wrtho am y tymor rygbi hyd
yma a'r modd roedd o wedi treulio mwy o amser yn gwylio'r
gemau yn hytrach na chwarae ynddyn nhw.

'Mae'n rhyfedd,' meddai ei daid, 'pan oeddwn i'n arfer
chwarae, doedd yna ddim y fath beth ag eilyddion. Bryd
hynny, doedden nhw ond yn cael dod ar y cae os oedd
anafiadau. Ond mae hi'n teimlo fel ei bod hi'n gêm tri dyn ar

hugain y dyddiau yma. Dwi'n drysu pan dwi'n gwylio'r teledu weithiau.'

Chwarddodd Owain.

'Ond paid â digalonni,' aeth ei daid yn ei flaen. 'Dwi'n siŵr bod dy hyfforddwr di'n gwybod beth sydd orau i'r tîm, sy'n golygu ei fod o'n cadw llygaid arnat ti. Cadw i ymarfer dy sgiliau a byddi di mewn safle cryf pan gei di dy alw i'r sgwad.'

Diolchodd Owain i'w daid am y cyngor a ffarweliodd. 'Rhaid i mi fynd i gyfarfod Dylan,' eglurodd. 'Wela i chi cyn i ni fynd yn ôl i Graig-wen.'

Brysiodd Owain i lawr i'r siop sglodion, lle roedd Dylan eisoes yn claddu'i fwyd yn eiddgar.

'Yli, Owain, mae gen i lwyth a wna i mo'u gorffen nhw. Wna i eu rhannu nhw efo chdi,' cynigiodd.

'Diolch, Dyl. Dwi ddim yn meddwl gallwn i eu bwyta nhw, chwaith. Dwi wedi gwneud dim byd ond bwyta ers i mi ddod adre.'

'Dwi inna yr un fath,' atebodd Dylan. 'Mae Mam yn meddwl 'mod i wedi colli llwyth o bwysau. A synnwn i damed, o gofio beth maen nhw'n ei weini ran amlaf yn yr ysgol.'

'O, dydi o ddim cynddrwg â hynny,' meddai Owain.

'Wnes i chwerthin nes roeddwn i'n sâl o dy herwydd di bore 'ma,' meddai Dylan, gan newid trywydd y sgwrs.

'Pam?' gofynnodd Owain.

'Wel, wyddost ti bod Cadi wedi gwirioni ar wneud llyfrau lloffion? Mae ganddi un ar gyfer cymeriadau Disney ac un ar gyfer sêr pop? Wel, mae hi wedi dechrau un ar gyfer – Owain Morgan!'

'Beeeeth?' gwaeddodd Owain gan gochi. 'Mae hynna bach yn od.'

'Wn i, wn i,' chwarddodd Dylan. 'Ddywedodd hi mai dechrau un ar gyfer fy ngyrfa rygbi i roedd hi – wel, fy unig gêm ym Mharc yr Arfau, beth bynnag – ond gefais i sbec arno fo ddoe ac mae hi wedi bod yn rhoi dy sgôrs a dy adroddiadau di ynddo fo – a does ganddi ddim byd am y tîm dan 14!'

'Chwarae teg iddi. Wnes i erioed drafferthu i wneud dim o hynna fy hun,' meddai Owain.

'Wel, mae hi eisiau i ti alw draw i arwyddo'r clawr iddi. Mae hi ofn drwy waed ei chalon dy fod ti'n mynd i ddod yn enwog ac na wnei di byth ddychwelyd i Ddolgellau. Ti ydi'r unig seléb mae hi'n ei adnabod.'

Chwarddodd Owain a chipio'r bag oedd yn cynnwys gweddill y sglodion o ddwylo Dylan.

'Fi sydd â rhain i gyd!' gwenodd, gan wibio i lawr y stryd fel fflamia, gan wybod na fyddai coesau byrrach Dylan yn gallu ei ddal. Rhedodd Owain heibio'r bobl oedd ar y stryd a chuddio y tu ôl i wal y farchnad, gan ddisgwyl i Dylan gyrraedd. Treuliodd yr amser yn llowcio gweddill y sglodion.

'Owain ... y gwalch ... paid gwneud ... hynna eto,' pwffiodd Dylan pan ddaliodd i fyny gydag o o'r diwedd.

'Petaet ti heb fwyta gymaint o sglodion, fyddet ti wedi fy nal i,' chwarddodd Owain. 'Rŵan, ble mae'r casglwr llofnodion selébs 'ma?'

Trodd Dylan y goriad i agor drws ei dŷ. 'Helô, Mam, dwi adre.'

Cadi ddaeth i lawr y grisiau i ddechrau ac roedd hi'n cydio mewn llyfr mawr.

'Haia Owain,' mwmialodd, 'fyddai ots gen ti arwyddo fy llyfr lloffion?'

'Wrth gwrs!' meddai Owain. 'Ga i sbec arno fo?'

'Emm, wel ... iawn,' dywedodd Cadi.

Edrychodd Owain drwy'r tudalennau. Roedd yno lawer o erthyglau papurau newydd ar ddiwedd dramatig Cwpan Carwyn James y llynedd, a'r digwyddiadau hyd yn oed mwy dramatig ddigwyddodd y tu allan i Barc yr Arfau. Roedd adroddiadau byr yno hefyd ar gemau Cwpan Iau y tymor yma, a llun tîm oedd yn codi cywilydd ar Owain a doedd o ddim yn ei gofio'n cael ei dynnu.

'Yyych,' meddai, 'dwi'n edrych fel llo ar ddiwedd y llinell yna. Diolch byth mai dim ond llun bychan ydi o. A drycha, maen nhw wedi cael fy enw i'n anghywir – Owen Mergan – pwy ydi hwnnw?'

Chwarddodd Dylan. 'Tyrd laen, llanc. Gawn nhw dy enw di'n iawn yr eiliad gwnei di rywbeth i dynnu eu sylw nhw.'

Gwenodd Owain a diolchodd i Cadi am gadw'r erthyglau.

'Alla i gael copi o rhai o'r rheina gen ti?' gofynnodd. 'Wna i aros tan ddiwedd y tymor pan fyddwn ni wedi ennill y cwpan.'

Taflodd Dylan hosan at Owain a chwympodd y ddau mewn sgarmes chwareus ar y soffa.

Daeth Mrs Jones i mewn gyda phlatiad o sgons, oedd dal yn gynnes, a dechreuodd y tri eu claddu. 'Diolch, Mrs J,' dywedodd Owain. 'Dydym ni ddim yn cael sgons cystal â hyn yng Nghraig-wen.'

'Wel, bydda i'n anfon Dylan yn ôl efo bocs plastig yn llawn ohonyn nhw i chi. Wnawn nhw bara ychydig o ddyddiau cyn iddyn nhw lwydo. Dwi'n poeni amdano fo – ydyn nhw'n rhoi digon o fwyd i chi yno?'

'Ydyn Tad,' eglurodd Owain. 'Mae Dylan yn denau achos ei fod o'n gwneud cymaint o redeg yn ystod ymarferion.'

Chwarddodd Mrs Jones. 'Wel Owain, dwi'n gobeithio dy fod ti'n cadw llygad ar Dylan ac yn gwneud yn siŵr ei fod o'n gwneud ei waith ysgol!'

Gwenodd Dylan yn gloff. 'Paid â phoeni am hynna, Mam.

Dalia di i anfon sgons i mi a wna i'n siŵr gwna i ddal i gael As.'

Edrychodd Owain ar ei oriawr a safodd i fyny. 'Diolch Mrs J, roedd hynna'n hyfryd, ond bydd rhaid i mi fynd adre. Wela i chdi fory, Dyl. Ddaliwn ni'r bws hanner awr wedi dau, iawn?'

PENNOD
UN AR HUGAIN

Dim ond tridiau oedd yna cyn gêm gynderfynol y Cwpan Iau pan ddychwelon nhw i Graig-wen ac roedd Owain yn dechrau mynd yn nerfus. Doedd neb eisiau siarad am ddim arall yn yr ysgol, gan gynnwys yr athrawon. Roedd dros ddeng mlynedd ers i Graig-wen hyd yn oed fod yn y ffeinal, felly doedd yr un o'r disgyblion wedi profi'r wefr.

'Byddai'n dda gen i petai'r cwbwl drosodd,' meddai wrth Alun wrth iddyn nhw gerdded i'r wers nesaf. 'Dwi ddim hyd yn oed yn gwybod a ydw i ar y fainc. Mae Mr Charles yn bod yn dawel iawn am hynny. Mae gynnon ni ymarfer heddiw felly gobeithio gwnaiff o adael i ni wybod wedyn. O leia ga i noson dda o gwsg os ydw i ddim yn y sgwad, am wn i. Dwi ddim hyd yn oed yn cael hynny ar hyn o bryd.'

Oedodd Alun. 'Yli, byddai'n wych petai ti'n cael lle yn y tîm, ond does yna ddim cywilydd mewn peidio cael dy ddewis. Mae'r hogia yma flwyddyn a mwy yn hŷn na chdi. Bydd hyd yn oed yr ychydig bach rwyt ti wedi'i wneud yn ddefnyddiol i'n tîm ni y tymor nesa.'

'Dyna ryfedd,' meddai Owain. 'Dywedodd Taid rywbeth tebyg wrtha i. Ydych chi eich dau wedi bod yn sgwrsio?'

Chwarddodd Alun. 'Tyrd yn dy flaen, mae gynnon ni wers Hanes nesa. Gobeithio bod gen ti ryw newyddion i'w rannu am dy brosiect.'

Gwenodd Owain. Roedd yn rhaid iddo rannu ychydig bach mwy o fanylion yn y dosbarth, a dywedodd wrth Mr

Dwyfor fod ei ymchwil wedi mynd yn dda a bod ganddo lawer o wybodaeth am fywyd byr Sam Morris a'r gwirfoddolwyr o Gymru.

'Mae hynna'n iawn, ond ti angen darganfod mwy am beth a'i gyrrodd i fynd i Sbaen ac aberthu ei fywyd,' dywedodd yr athro.

Dywedodd Mr Dwyfor wrth y bechgyn fod ganddyn nhw wythnos i orffen eu gwaith ymchwil ac y byddai'n rhaid iddyn nhw fod wedi gorffen y prosiect erbyn diwedd gwyliau'r Pasg.

Griddfanodd Alun a sibrwd wrth Owain nad oedd o wedi gwneud fawr o waith ar ei brosiect hyd yma.

'Sut mae dy un di yn dod yn ei flaen?' gofynnodd ar ôl y wers. 'Oes siawns y gallet ti roi help llaw i mi?'

Chwarddodd Owain.

'Iawn, Alun, dwi'n ymarfer bob diwrnod, yn astudio am weddill yr amser ac yn cysgu pan dwi'n cael cyfle. Gen i gêm anferth yn dod i fyny, ella dwy. Mae gen i fy mhrosiect fy hun i'w wneud hefyd! Ond os oes gen ti unrhyw syniadau lle dwi'n mynd i gael yr amser i dy helpu di, baswn i wrth fy modd yn eu clywed. Achos os oes gen ti, dwi'n bwriadu defnyddio'r amser i gael mwy o gwsg.'

Gwenodd Alun. 'Ia, wel, pan ti'n ei roi o fel'na ...'

Roedd y sesiwn ymarfer yn fyr, dim ond rhedeg o gwmpas am ychydig ac ailadrodd rhai symudiadau allweddol fel bod pawb yn gwybod beth oedd eu swyddogaeth. Roedd Llanelystan yn rym pwerus ym myd rygbi ysgolion ac roedd y byd mawr y tu allan yn dechrau talu sylw i'r gêm, gydag erthyglau yn ymddangos yn gyson yn y papurau newydd.

'Reit, fechgyn,' cyhoeddodd Mr Charles wrth i'r

chwaraewyr setlo ar ôl yr ymarfer. 'Dewch draw fan hyn.'

Cymerodd y sgwad o dri deg o fechgyn – a mwy – gam yn eu blaenau. Erbyn y cyfnod yma yn y tymor, byddai'r tîm cyntaf fwy neu lai'n dewis eu hunain, ond roedd yna bedwar neu bump o chwaraewyr eraill oedd yn yr un cwch ag Owain, yn disgwyl i glywed a oedden nhw wedi cael eu dewis ar gyfer y sgwad. Roedd Owain mor nerfus fel bod ei fol fel jeli.

'Mae 'da ni'r criw mwya talentog o chwaraewyr y tîm iau 'wy erioed wedi'u gweld yn yr holl amser 'wy wedi bod yma, ond gêm wythnos yma fydd y prawf cynta go iawn y byddwch chi'n ei wynebu. Mae Llanelystan yn griw caled, hynod gorfforol a fe fyddan nhw'n ceisio ennill y frwydr yn y deng munud cynta lle byddan nhw'n bwrw bob tacl yn galed. Rhaid i ni fod yn glyfrach na nhw er mwyn ceisio gwrthsefyll y pwysau a'u blino nhw. Yna mae angen i ni chwarae i'n cryfderau, sy'n golygu pêl gyflym gan yr hanerwyr a gadael i'n llinell ôl redeg pan mae'r amser yn iawn.

''Wy wedi siarad gyda Brython am ein dewis a ry'n ni wedi penderfynu ar fainc mwy bywiog na gêm Coleg Bro Myfi. Ry'n ni wedi cael Owain yn ei ôl a 'wy'n dod â Daron Davies yn ôl i gadw golwg ar yr asgellwyr. Byddan nhw'n dod mewn yn lle Prysor a Cynog. Unrhyw gwestiynau?'

Plygodd Owain ei ben, i wneud yn siŵr nad oedd o'n dal llygaid Prysor. Daeth Brython ymlaen i ddweud ychydig o eiriau hefyd ond doedd yr un o'r bechgyn yn teimlo fel eu bod nhw angen gofyn unrhyw gwestiynau. Roedden nhw'n gwybod beth roedd angen iddyn nhw ei wneud.

PENNOD
DAU AR HUGAIN

Gwyddai Owain fod angen iddo dynnu ei sylw oddi ar yr holl bobl oedd yn dymuno'n dda iddyn nhw a'r plant ysgol iau oedd jest eisiau dod i fyny a syllu ar unrhyw aelod o'r tîm iau. Cododd ei hwdi llwyd am ei ben, cyn rhoi llyfr nodiadau a beiro yn ei boced a llithro allan o'r llofft mor dawel ag y gallai. Yr eiliad y gadawodd o'r adeilad, dechreuodd garlamu, gan groesi'r meysydd chwarae tua'r llannerch gudd.

Roedd hi eisoes yn dechrau tywyllu, ond roedd Sam yn ei fan arferol, yn tyrchu o gwmpas gwaelod y garreg wen.

'S'mai, Sam,' dechreuodd Owain. 'Ro'n i'n meddwl dy fod di wedi dod o hyd i'r hyn oeddet ti'n chwilio amdano?'

Cododd Sam ac ysgwyd y gwair a'r pridd oddi ar ei ddillad ysbryd. Roedd ei hen grys rygbi yn edrych fel petai o wedi treulio awr o dan ryc.

'Na, 'wy ddim,' ochneidiodd, 'a 'wy ddim yn sicr am beth 'wy'n chwilio chwaith.'

'Alla i helpu?' gofynnodd Owain. 'Dwi angen mwy o fanylion am pam wnest ti ymuno gyda'r rhyfel. Mae gen i tua awr, a gallwn sgwrsio wrth i ni dyrchu.'

'Iawn,' atebodd Sam, yn falch o gael rhannu'r faich o dyrchu. 'Tyrcha di yr ardal ar y chwith a wna i gario 'mlân fan hyn. Nawr, gad i mi weld ...'

Unwaith dechreuodd Sam roedd o'n siarad yn hollol agored am ei ddyddiau yn yr ysgol a sut perswadiwyd ef i fynd i Sbaen.

'Roedd fy rhieni wastad yn sôn am hen frwydrau dros gyfiawnder pan oeddwn i'n grwt. Doedd 'na ddim teledu na radio yn y dyddiau hynny, felly fe dyfais i lan yn gwrando ar hanesion am bobl megis Merched Beca, oedd yn brwydro yn erbyn anghyfiawnder y tollau yn ardal Llandeilo a Rhydaman yn 1843. Ro'n i wedi hen arfer â straeon am ddynion a merched yn brwydro dros yr hyn roedden nhw'n gredu ynddo ac yn gwneud pethau arwrol dros iawnderau'r werin yng nghefn gwlad Cymru.

'Ond wrth gwrs, ar ôl cyfnod Merched Beca, fe dyfodd y pyllau glo a newidiodd llawer o gefn gwlad de Cymru i fod yn bentrefi diwydiannol. Glöwr oedd fy nhad ac roedd e'n gweithio'n galed i'n cynnal ni fel teulu am arian pitw. Roedd yr amodau gwaith yn ddifrifol ac roedd damweiniau a marwolaethau byth a beunydd.

'Roedd gweld dynion fy mro'n peryglu eu bywydau er mwyn rhoi bwyd ym moliau eu plant yn fy nghorddi. Ac nid jyst dynion oedd yn gweithio yn y pwll, ond bois ifanc, tua'r oedran â ti!

'Gadael yr ysgol yn llanc 13 oed a mynd yn syth i'r pwll wnes innau hefyd. Doedd dim dewis. Roedd cael bwyd ar y bwrdd yn bwysicach nag addysg, a'n cân ni'n aml oedd:

"I am a little collier and gweithio underground,
The raff will never torri when I go up and down.
It's bara when I'm hungry
And cwrw when I'm dry,
It's gwely when I'm tired
And nefoedd when I die."

'Roeddwn i'n teimlo fel cachgi yn ildio i'r un hen drefn, ond roedd ysbryd rebel Merched Beca yn cuddio yng ngwythiennau bois Dyffryn Aman yn rhywle, a doeddwn i ddim am fod yn llwfr am byth ...

'Beth bynnag, er na ches i gyfle i fynd 'mlân yn yr ysgol, ges i gyfle ar y cae rygbi. Yn ystod fy mlwyddyn olaf yn yr ysgol ces fy newis i chwarae dros sir Gaerfyrddin yng nghwpan ieuenctid Cymru.

'Roedd Wil Davies, ffrind ysgol a ffrind bore oes i mi, hefyd yn y tîm. Roedd e fel fi yn flaenasgellwr ... yffach o flaenasgellwr oedd Wil. Roedden ni'n gryts cystadleuol pan fyddem ni'n nofio yn y gronfa ddŵr ac ar y maes rygbi. Yr unig wahaniaeth rhyngon ni mewn gwirionedd oedd ei fod e wedi mynd yn saer coed a minnau'n löwr.

'Fe gawsom ni bob o fedel wrth chwarae yng nghystadleuaeth cwpan ieuenctid Cymru ond doedd honno'n ddim i'w chymharu â'r fedel gawsom ni gan y Frigâd Ryngwladol am fynd i gynorthwyo'r werin yn Sbaen.

'Yn y 1920au y dechreuodd fy niddordeb go iawn mewn gwleidyddiaeth. Roedd bywyd mor galed ac annheg i weithwyr diwydiannol de Cymru, gweithwyr glo a haearn. Roedd chwarelwyr llechi yn diodde yn y gogledd 'fyd, yn ôl pob sôn. Bues i'n gadeirydd yr uneb yng nglofa'r Rhos, Rhydaman, am gyfnod a glaniais mewn trwbl droeon. Ces fy nghyhuddo o greu terfysg yn ystod streic y glo caled yn 1925, fel ti'n gwybod siŵr o fod, a chefais fy llusgo i'r celloedd am ddeuddydd.'

'Sut brofiad oedd hynny?' holodd Owain.

'Erchyll. Ond fe wnaeth e fi'n fwy penderfynol fyth o frwydro dros anghyfiawnder.'

Cariodd Owain ymlaen i dyrchu'r ddaear gan oedi i wneud nodiadau bob hyn a hyn wrth i Sam barhau â hanes ei fywyd.

'Dyna pam bues i'n protestio yn ystod y Streic Gyffredinol Fawr yn 1926. Clodd y meistri y glowyr mas o'u gwaith a chollodd cannoedd eu swyddi. Bu'n rhaid i ni ddwyn glo a'u rhoi i'r tlodion i'w cadw nhw'n dwym ac roedd annhegwch y meistri yn gwneud i ngwaed i ferwi.

'Ro'n i'n cofio iawn sut gwnaeth y llywodraeth ddefnyddio'r fyddin Brydeinig i ymosod ar brotestiadau a streiciau glowyr a gweithwyr rheilffordd yn Nhonypandy a Llanelli cyn hynny. Lladdwyd pobl ddiarfog bryd hynny ac roedd e'n anfaddeuol.

'Parhaodd yr anghydfod drwy'r 30au, a wnes i, Wil a Jac gymryd rhan mewn nifer o brotestiadau newyn achos roedd cymaint o bobl ar eu cythlwng. Roedd yr heddlu'n cadw llygad barcud arna i byth ers i mi gael fy ngharcharu, a gwaethygu wnaeth pethau pan wnes i a fy ffrindiau gefnogi bois y bysus yn ystod eu streic nhw yn 1935.

'Yr holl anghyfiawnder yma a'n harweiniodd i lawr i Gaerdydd i wrando ar y Sbaenwyr yn siarad, ym mis Tachwedd, 1936. Roedden ni ar dân eisiau helpu – gan eu bod hwythau'n diodde fel ninnau – ac roedden ni'n barod i adael ar y llong am Sbaen yn syth bin, fel gwyddost ti. Ond bu'n rhaid i ni ddianc rhag yr heddlu wedi i rywun achwyn amdanon ni ar y llong, ac ar ôl i ni dreulio'r noson yng Nghraig-wen, adre i Rydaman aethon ni gyda'n cynffonnau rhwng ein coesau.

'Ychydig ar ôl hynny, cefais i Wil a Jac ein cyhuddo ar gam

o fod yn botsiars gan feistri tir lleol. Dim ond ymarfer ein rygbi ar Fynydd y Betws oedden ni, ond roedd y meistri tir yn mynnu'n wahanol ac am ein cosbi. Dyna oedd yr hoelen olaf yn yr arch. Cafodd y tri ohonon ni lond bol a phenderfynu nad oedd gynnon ni ddewis ond gwirfoddoli gyda'r Frigâd Ryngwladol. Aeth Wil a fi bant i Sbaen i ymladd yn erbyn Franco a'i giwed yn syth, gyda Jac yn ein dilyn o fewn rhai misoedd. Ond fel gwyddost ti, ddes i byth adre a welais i mo Mynydd y Betws byth 'to,' ochneidiodd Sam.

Stopiodd Owain dyrchu a sychu dafn o chwys oddi ar ei dalcen. 'Diolch, Sam, dwi'n gwybod nad oedd hi'n hawdd i ti siarad am y gorffennol.'

Dychwelodd y ddau i'w gwaith, ond ar ôl amser byr edrychodd Owain ar ei oriawr.

'Dim ond pum munud arall sydd gen i, Sam. Yna bydd rhaid i mi hel fy nhraed am adre. Mae hi bron yn dywyll, p'run bynnag – prin galla i weld beth dwi'n ei ...'

Stopiodd Owain dyrchu. Roedd ei ewinedd wedi bwrw rhywbeth caled a rhwbiodd ei law i geisio lleddfu'r boen. Plygodd yn agosach a dechrau brwsio'r pridd. Rhoddodd ei law i mewn unwaith eto a chydio mewn darn o fetel. Tynnodd, a daeth y darn metel allan o'r ddaear yn ei law.

'Beth sydd 'da ti'n fan'na, gw'boi?' gofynnodd Sam.

'Dwi'n meddwl mai allwedd fawr ydi hi,' atebodd Owain. 'Mae hi wedi'i gorchuddio â baw.'

Rhwbiodd Owain yr allwedd i'w glanhau a'i dangos i'w ysbryd o ffrind.

'Dyna hi!' meddai Sam. 'Am hon ro'n i'n chwilio. 'Wy'n cofio nawr. Tybed i beth mae hi'n dda?'

'Betia i 'mod i'n gwybod,' daeth trydydd llais o tu ôl i'r llwyni.

Camodd Dic drwy'r gwyrddni, ei lygaid yn pefrio gyda chyffro. 'Wy'n siwr mai dyna'r allwedd ar gyfer drws y stafell gudd yn yr ysgol!'

'Mae'n bosib,' dywedodd Sam. 'Roeddwn i'n cael breuddwydion oedd yn dweud wrtha i lle i edrych ac i dyrchu ... ac roedd 'na ddrws mawr llychlyd yn 'y mreuddwyd hefyd. Ond ...'

'Ond beth?' gofynnodd Owain.

'Ond ... 'wy ddim gant y cant yn siŵr wnaiff e agor y drws, chwaith. Gen i ryw hen deimlad bod rhywbeth arall yn mynd 'mlân.'

'Fel beth?' holodd Owain.

''Wy ddim yn siŵr,' crafodd Sam ei ben gan geisio ei orau i gofio. 'Mae popeth mor niwlog ...'

'Wel, sdim ond un ffordd o ddarganfod os taw hon yw'r allwedd gywir,' meddai Dic. 'Hasta yn ôl i dy lofft, Owain.

Wedyn galli di ac Alun weld a yw'r allwedd yn ffitio ai peidio ac fe wnaiff Sam a minnau drio gweithio mas beth i'w wneud nesa. Ddown ni heibio cyn i'r ysgol ddechrau fory i weld beth yw beth.'

Cymerodd Owain yr allwedd a'i heglu hi i'r prif adeilad mor gyflym ag y gallai. Roedd hi'n eithaf tywyll erbyn hyn a doedd dim golau ar y caeau chwarae. 'Beth wyt ti ofn?' chwarddodd wrtho'i hun. 'Ti newydd dreulio'r awr ola gyda dau ysbryd!'

Piciodd i mewn i'r stafell ymolchi ar y llawr cyntaf i olchi ei ddwylo budron ac i dynnu gweddill y clai oddi ar yr allwedd. Roedd hi wedi pylu wedi'r holl flynyddoedd o dan ddaear, ond ar ôl ychydig eiliadau o sgrwbio, dechreuodd ei handlen sgleinio a daeth Owain i'r casgliad ei bod wedi bod yn allwedd bwysig iawn ers talwm. Efallai ei bod hi'n dal yn bwysig.

Wedi iddo lithro'r allwedd yn ôl i mewn i'w hwdi, cerddodd Owain allan i'r coridor lle trawodd ar Richie Duffy a dau o'i bartneriaid, Selyf a Prothero.

'Ti'n edrych braidd yn anniben, hyd yn oed i fachan o'r gogs,' crechwenodd Duffy. 'Oeddet ti mas yn codi tatws ar y fferm?'

Gwgodd Owain, yn benderfynol o beidio cymryd yr abwyd. Rhoddodd roch a cheisio gwasgu heibio i Prothero.

'Dal sownd am eiliad, Morgan,' dechreuodd Duffy wrth i'w bartneriaid gornelu Owain. ''Wy'n clywed dy fod ti wedi bod yn cario straeon i'r athrawon. Ti angen bod yn hynod sicr o dy ffeithiau cyn i ti wneud cyhuddiadau gwallgo.'

Ceisiodd Owain ei anwybyddu.

'A sut mae pethe yn y llofft hapus? Popeth yn grêt nawr bod y lleidr wedi cael ei ddal, neu wnaeth Jones ddod bant â thaflu llwch i lygaid pawb? Meddylia am hynna, Morgan. Mae e'n amlwg yn bwriadu mynd mewn i'r busnes teuluol pan wnaiff e adael yr ysgol.'

Ceisiodd Owain fynd heibio Prothero unwaith eto. Roedd o'n dyheu am ddweud rhywbeth ac roedd o'n barod am sgarmes. Ond gwyddai fod yn rhaid iddo gadw'r allwedd yn ddiogel ac allan o ddwylo Duffy – oedd wedi bod i lawr yn y coridor cudd. Y peth olaf roedd Owain ei eisiau oedd i Duffy amau y gallai'r allwedd agor y drws cudd.

Yn ôl yn hafan y llofft, gwelodd Owain mai dim ond Alun oedd wedi penderfynu cael noson gynnar.

'Mae Dyl a Rhodri wedi dod dros eu ffrae ac wedi bod yn chware tennis bwrdd am y ddwy awr ddwytha,' dywedodd Alun.

'Iawn, neidia allan o dy wely yn gyflym er mwyn i ti allu rhoi help llaw i mi gyda'r trapddrws,' dywedodd Owain. 'Ella 'mod i wedi dod o hyd i'r allwedd wnaiff agor y drws.'

Cododd Alun o'i wely a throi'r rhosyn ar y lle tân oedd yn agor y drws i'r coridor.

Symudodd Owain y trapddrws o'r ffordd a syllu i lawr i'r twll du.

'Cer â'r fflachlamp, Owain. Wyt ti eisiau mynd gynta?' gofynnodd Alun yn nerfus.

Aeth Owain i lawr y grisiau yn ofalus. Roedd hi'n anoddach gweld gan bod bateris y fflachlamp yn pylu, ac ar ben y cwbl roedd ei feddwl yn rasio am yr hyn y byddai o'n ei ddarganfod y tu ôl i'r drws.

Arhosodd y bechgyn ger y drws pren a phwyntio pelydr y fflachlamp at dwll y clo. Rhoddodd Owain yr allwedd yn y twll ond roedd yn gwrthod troi.

'Mae o'n rhy llac,' meddai wrth Alun. 'Daria! Wnaiff yr allwedd ddim agor y clo yma wedi'r cwbl.'

'Hen dro!' atebodd Alun. 'Ro'n i'n gobeithio y bydden ni'n darganfod trysorau anhygoel.'

'Dim gobaith caneri,' ochneidiodd Owain yn siomedig. 'Dyna ddiwedd ar hynna 'ta.'

'Hei, dydi hi ddim yn ddiwedd y byd,' meddai Alun wrth iddyn nhw esgyn yn ôl i fyny i'w llofft.

'Na, dwi'n gwybod, ond dwi bron â marw eisiau gwybod beth sydd y tu ôl i'r drws 'na,' dywedodd Owain. Roedd o'n amlwg yn rhwystredig wrth iddo anelu am ddrws y llofft.

'Ble ti'n mynd rŵan eto?' gofynnodd Alun.

'Dim ond i'r tŷ bach. Bydda i'n ôl rŵan.'

Camodd Owain i'r coridor y tu allan i'w lofft a neidiodd pan glywodd lais y tu ôl iddo. 'Pssssst!'

Trodd Owain a gweld Sam a Dic yn sefyll yn y cysgodion. Roedd Sam yn gwenu fel giât.

'Be sy? Ro'n i'n meddwl mai bore fory roeddech chi'n bwriadu galw heibio?'

''Wy wedi cofio rhywbeth!' meddai Sam, ei wên yn lledu fwy fyth. 'Wnaeth yr allwedd 'na ddim agor y drws, do fe?'

Ysgydwodd Owain ei ben.

'Ro'n i'n amau, doeddwn!'

'Unrhyw syniad lle mae'r allwedd iawn?' gofynnodd Owain a dechreuodd ei galon guro'n gyflymach wrth i wên Sam ei ddallu.

'Y noson gwnes i, Jac a Wil ffoi rhag yr heddlu o'r dociau, fe gawsom ni loches yma gan Fernando Alberdi. Roedd Craig-wen wedi bod yn chwarae yn erbyn ysgol y Kings y prynhawn hwnnw ac arhosodd y tîm draw, gan bod ganddyn nhw gêm arall y prynhawn canlynol. Wrth i Fernando ein sleifio ni i mewn i'r ysgol i'n cuddio, gwelodd disgybl o ysgol y Kings ni.'

'Pwy oedd o?' gofynnodd Owain, ei lygaid fel soseri.

'Rhyw fwlsyn digon di-ddim yr olwg oedd e, o'r enw Jeremy Colins. Roedd y ddau ohonon ni'n bell o fod yn ffrindiau wedi i mi roi crasfeydd lawer iddo ar y cae rygbi, ond rhaid i ti ddeall hefyd bod ysgol y Kings yn casáu'r rebeliaid, Owain.'

'Pam?'

'Y Marquess of Bute oedd yn noddi ysgol y Kings. Fe oedd un o berchnogion glo mwya'r byd. Roeddwn i, Jac a Wil wedi bod yn protestio yn erbyn annhegwch meistri tebyg iddo fe ers blynydde maith. Meistri felly oedd yn gormesu'r dyn cyffredin yn Sbaen a dyna un o'r prif resymau oedd yn ein gyrru ni yno i ymladd ar eu rhan. Roedd y Marquess hefyd yn bleidiol i Franco, ac felly oherwydd ei ddylanwad ef ar yr ysgol, doedd bechgyn y Kings ddim yn cefnogi'r Rhyfel, a chwympodd wyneb Colins pan sylweddolodd e taw ein bwriad ni oedd mynd i ymladd dros y gweriniaethwyr yn Sbaen.'

'Beth ddigwyddodd?'

'Doedd e ddim yn credu y dylem ni fusnesu yn rhyfel rhywun arall, ac er bod Fernando wedi'i rybuddio'n chwyrn i esgus na welodd o mohonon ni, wrandawodd Colins ddim. Unwaith cawson ni'n cwato yn y stafell gudd, fe ddygodd e'r allwedd oddi ar Fernando tra oedd hwnnw'n cysgu'n sownd.'

'Wel, y jawl bach yn sleifio i lofft athro!' meddai Dic.

Nodiodd Sam cyn mynd yn ei flaen. 'Pan ddihunodd Fernando a gweld bod yr allwedd wedi diflannu, fe wnaeth e amau'n syth mai Colins oedd wedi mynd â hi. Ond allai e ddim cyhuddo'r crwt, rhag ofn i'r gwir ddod mas ac iddo fe fynd i helbul am ein cwato ni'n tri yng Nghraig-wen. Ddywedodd Fernando ddim byd drwy'r dydd, dim ond gadael i ysgol y Kings fynd gatre ar ôl y gêm rygbi y prynhawn canlynol. Erbyn hynny, roedden ni'n tri yn dechrau becso ein bod ni am fod yn y stafell am byth bythoedd, gan nad oedd sôn am Fernando. Chwilio am yr allwedd sbâr i'r drws oedd e ac fe gymerodd orie iddo ddod o hyd iddi. Ond fe wnaeth e hynny yn y pendraw a'n rhyddhau ni, cyn ein smyglo ni'n ôl i Rydaman liw nos. O fewn dyddiau, roeddwn i a Wil wedi gadael am Sbaen ar antur fwya'n bywydau, gyda Jac yn dilyn yn nes 'mlân.'

'Beth ddigwyddodd i Colins?' gofynnodd Owain. 'Ddywedodd o wrth unrhyw un ei fod o wedi dwyn yr allwedd?'

Ysgwyd ei ben wnaeth Sam. 'Dim i ddechrau, naddo. Roedd e'n meddwl ei fod e wedi gwneud y peth iawn yn ein rhwystro ni rhag mynd i Sbaen, ond yna fe glywodd e griw o fois yn trafod erchyllderau'r rhyfel tu fas i gastell Caerdydd y diwrnod canlynol. Pan sylweddolodd e gymaint roedd y gweriniaethwyr yn gwirioneddol ddioddef o dan law Franco, cafodd draed oer, a sylweddoli taw camgymeriad oedd ein rhwystro ni rhag mynd i ymladd drostyn nhw.'

'Sut cefaist ti wybod hyn i gyd?' holodd Dic.

'Mewn llythyr gan Fernando. Roedden ni'n llythyru'n gyson, drwy gydol yr amser y bues i'n Sbaen. Dychwelodd Colins i Graig-wen ddiwrnod wedi i ni adael gyda'r bwriad o'n rhyddhau ni o'r stafell gudd. Wyddai e ddim byd am yr allwedd sbâr wrth gwrs, ac roedd e'n becso y bydden ni'n marw yno.'

'Aeth o â'r allwedd yn syth at Fernando?' gofynnodd Owain, gan hanner edmygu asgwrn cefn y bachgen.

'Dim peryg! Roedd e ofan i Fernando hanner ei ladd am wneud rhywbeth mor dan-din. Roedd e hefyd yn becso bod yr awdurdodau Prydeinig yn gwylio Craig-wen gan eu bod yn gwybod bod Fernando yn cefnogi achos gweriniaethwyr Sbaen, a doedd e ddim eisiau cysylltu ei hun gyda hynny. Felly cwatodd allwedd drws y stafell gudd mewn cist yn ysgol y Kings. Yna rhoddodd allwedd y gist ar gylch allwedd, gyda'r gair Kings arno, a'i chladdu o dan y garreg wen yma.'

'Pam ar wyneb y ddaear byddai o'n mynd i'r fath drafferth?' gofynnodd Owain yn ddryslyd.

'Wel, bryd hynny, roedd disgyblion Craig-wen yn ymgynnull wrth y garreg i sgwrsio a chadw reiat bob gyda'r nos. Roedd Colins yn gobeithio y byddai un o'r disgyblion yn darganfod yr allwedd yn y pridd ac y byddai'r cylch allwedd yn eu gwneud yn ddigon chwilfrydig i fynd i ysgol y Kings i geisio darganfod beth roedd yr allwedd yn ei agor. Roedd e'n gobeithio byddai rhywun yn agor y gist ac yn darganfod yr allwedd i'r stafell gudd ac y bydden ni'n tri rebel yn cael ein rhyddhau o ganlyniad.'

'Wel am gynllun hollol, hollol hurt!' meddai Owain.

'Yn gwmws. Roedd e'n gynllun llawn tyllau. Achos ffŵl

oedd Colins. Ffŵl dwl. Dim ond diolch byth bod un o gyd-athrawon Fernando wedi'i weld e'n ceisio claddu'r allwedd ger y garreg wen ac wedi llusgo'r gwir mas ohono. Roedd e'n rhyddhad i Colins ddeall fy mod i, Jac a Wil eisoes wedi dianc o'r stafell.'

'Beth wnaeth Fernando pan ddysgodd o am hyn i gyd? Wnaeth e fynd i Kings i nôl yr allwedd o'r gist?'

Ysgwyd ei ben wnaeth Sam. 'Roedd e ofan bod yr awdurdodau yn ei wylio fe a Chraig-wen erbyn hyn ac roedd e'n benderfynol o beidio â thynnu sylw ato'i hun. Roedd e'n credu byddai'r allwedd yn fwy diogel yn y Kings ac y byddai'n haws gadael yr allwedd i'r gist o dan y garreg wen hefyd. Doedd e ddim eisiau tynnu unrhyw fath o sylw ato fe'i hunan ...'

'Na sbo,' meddai Dic. 'Galla i ddeall hynny.' Yna trodd at Owain a chodi ael. 'Ond ti'n gwybod beth mae hyn i gyd yn ei olygu, on'd wyt ti, Owain?'

Syllodd Owain arno a nodio. 'Os yw allwedd drws y stafell gudd yn dal i fod mewn cist yn ysgol y Kings, does gen i ddim dewis ond mynd i chwilio amdani ...

PENNOD
PEDWAR AR HUGAIN

Llusgodd y diwrnod canlynol yn yr ysgol ond o leiaf roedd Mr Dwyfor yn hapus gyda'r hyn roedd Owain wedi'i wneud gyda'i brosiect hanes hyd yma. Roedd ganddyn nhw hanner diwrnod ar ddydd Mercher, ond gyda'r gêm gwpan rownd y gornel, roedd Mr Charles yn awyddus i wneud yn siŵr na fyddai yna fwy o anafiadau felly cafodd y sgwad sesiwn ymarfer ysgafn cyn gweithio ar eu ffitrwydd a'u stamina.

Cyn gynted ag y daeth y sesiwn i ben ac wedi iddo gael cawod a gwisgo, llithrodd Owain drwy giatiau'r ysgol ac anelu am yr orsaf drenau.

Prynodd ei docyn ac eistedd mewn sedd ger y ffenest fel y gallai gael golygfa dda o'r ddinas wrth iddyn nhw ruthro ar ei thraws. Wrth i'r drên fynd heibio rhes o wrychoedd, caeodd Owain ei lygaid.

'Shwmae?' sibrydodd rhywun.

Agorodd Owain ei lygaid a gweld Sam a Dic yn eistedd gyferbyn ag o. Trodd Owain ei ben i wneud yn siŵr nad oedd neb wrth ei ymyl yn y cerbyd a oedd bron yn wag.

'Wyddwn i ddim eich bod chi'n bwriadu dod gyda mi i ysgol y Kings,' meddai.

'Wrth gwrs,' meddai Sam. ''Wy heb fod yn ôl yno ers blynydde. Ddim ers i sir Gaerfyrddin chwarae yn eu herbyn, oesoedd yn ôl. Ond 'wy'n siŵr galla i ddangos y ffordd yno i ti.' Edrychodd o'i gwmpas am eiliad cyn ychwanegu, ''Wy heb fod ar drên ers achau chwaith. Ac on'd yw hwn yn gerbyd trên rhyfedd ar y naw? Mae e'n symud yn llawer clouach na'r hen drênau ro'n i'n arfer mynd arnyn nhw.'

Gwenodd Owain a dod oddi ar y trên yn yr orsaf nesaf. Dilynodd Sam a Dic ef ond roedd hi'n amlwg o'r olwg ddryslyd ar wyneb Sam nad oedd ganddo syniad lle roedd o pan ddaethon nhw allan o'r orsaf. Roedd tirlun y ddinas wedi newid cymaint, felly tynnodd Owain ei ffôn o'i boced a chwilio am fap i'w arwain i ysgol y Kings. Troeodd y criw i'r dde ym mhen stryd a ddringai'n serth i ben bryn.

'Aha, 'wy'n adnabod fan hyn nawr,' meddai Sam gydag ochenaid o ryddhad. 'Dyw'r fan yma prin wedi newid.'

Crwydrodd y tri i fyny'r stryd, gan syllu ar ddrysau hardd y tai a'r basgedi blodau lliwgar. Cododd Sam ei ben wrth iddyn nhw ddod i ben y stryd a gweld yr ysgol.

'Roeddwn i'n casáu chwarae yn erbyn tîm y Kings,' ochneidiodd. 'Ond mae'r hen le 'ma wedi newid llawer nawr bod y Marquess wedi diflannu. Nawr 'te, sut wyt ti'n bwriadu cael gafael ar y allwedd, Owain?' gofynnodd.

'Ro'n i'n gobeithio dod o hyd i rywun tebyg i Mr Mathews,' dywedodd. 'Efallai gall o helpu. Ydych chi eich dau am ddod efo mi? Ceisiwch fod yn dawel reit.'

Canodd Owain y gloch oedd ar y drws mawr du ac aros i rywun ddod i'w agor.

'S'mai? Tybed allwch chi fy helpu i,' dechreuodd. 'Ro'n i'n edrych am hanesydd yr ysgol ...'

'Wel, ŵr ifanc, fi yw archifydd yr ysgol, falle galla i dy helpu di?' meddai hen ddyn oedd wedi'i wisgo mewn du o'i gorun i'w sawdl.

'Mae hi'n stori gymleth,' dechreuodd Owain.

'Wel, byddai'n well i ti ddod i mewn a dweud wrtho i, felly,' gwenodd. 'Bedwyr ydw i. Beth yw dy enw di ac ai crys rygbi Craig-wen alla i weld o dan dy siwmper di?'

'Ia,' meddai Owain. 'Owain Morgan ydw i a dwi'n ddisgybl yno. Ro'n i'n gwneud, ym, gwaith ymchwil a ddes i o hyd i'r hen allwedd yma. Dwi'n credu falla gall o agor rhyw hen gist sydd yn yr ysgol yma?'

'Pam dy fod ti'n meddwl hynny?' gofynnodd Bedwyr.

'Wel, alla i ddim dweud eto, a bod yn onest,' meddai Owain. 'Ond mae'r allwedd ar gylch allwedd gyda'r enw Kings arno, felly ro'n i'n gobeithio byddech chi'n gallu fy rhoi ar ben ffordd?'

'Hmmm,' meddai Bedwyr, 'dyna od i ti ddod yma i holi. Roeddwn i wrthi'n twtio'r archif y diwrnod o'r blaen, ac fe ddes i ar draws rhyw hen gist fach na allen i ei hagor. Bu bron i mi nôl cŷn a'i gwthio hi ar agor, ond doeddwn ni ddim eisiau ei difrodi hi, gan ei bod hi wedi'i cherfio mor gelfydd. Mae'r allwedd yn edrych tua'r maint iawn – wyt ti'n meddwl mai hon yw'r allwedd wnaiff ei hagor?'

Cyflymodd calon Owain. 'Dwi ddim yn berffaith siŵr. Ond mae o'n bosib.'

'Wel, does dim ond un ffordd o ffeindo mas. Dere gyda mi a gawn ni weld', meddai Bedwyr.

Arweiniodd Owain ar hyd coridor a chafodd edrychiadau du iawn gan rai o'r bechgyn eraill gan ei fod yn gwisgo crys Craig-wen. Dilynodd Dic a Sam hwy a gwenodd Owain wrth iddo ddychmygu beth fyddai bechgyn y Kings yn ei wneud pe baen nhw'n gallu gweld ei ffrindiau ysbryd mwyaf sydyn.

Aeth Bedwyr ag ef i mewn i stafell fawr yn llawn o

silffoedd llyfrau a chypyrddau dal ffeiliau. Roedd rhes o gypyrddau gwydr yng nghanol y stafell a'r dyddiad – fesul degawd – wedi'i nodi gyda cherdyn bach cardfwrdd hufen ar flaen bob un. Cerddodd Bedwyr heibio i lu o gypyrddau cyn dod i stop o flaen y cwpwrdd a gynrychiolai'r 30au. 'Mae'r cwpwrdd yma'n cynnwys popeth sy'n ymwneud â'r ysgol yn ystod y degawd yna,' eglurodd Bedwyr, a churodd calon Owain ynghynt wrth iddo ddal llygaid Sam a Dic.

'Nid yn y cwpwrdd yna mae'r gist na allwch chi agor, ia?' gofynnodd Owain.

'Ie, pam?

'Dim ond gofyn,' meddai Owain wrth i Bedwyr agor y cwpwrdd ac estyn am y gist fach bren oedd tua'r un maint â bocs dal wyau. 'Dyma hi,' meddai Bedwyr. 'Mae hi wedi bod yma ers ache.'

Gallai Owain weld bod Sam a Dic ar bigau wrth iddo estyn yr allwedd o'i boced a'i gwthio i mewn i'r twll clo. Trodd hi ac roedd o ar ben ei ddigon pan glywodd sŵn clic fach slic. Agorodd y gist yn syth.

'Wel, pwy fydde'n meddwl,' meddai'r hen archifydd. 'Dyna beth yw syrpréis. Gad i ni weld beth sydd y tu mewn iddi.'

Cododd y caead ac yno, yn gorwedd ar glustog melfed porffor, roedd allwedd bres.

PENNOD
PUMP AR HUGAIN

'Dwi'n meddwl 'mod i'n gwybod i beth mae hon yn da,' meddai Owain yn ofalus. 'Mae 'na lo yn ôl yng Nghraig-wen sydd heb gael ei agor ers blynyddoedd maith. Tybed alla i fenthyg hon?'

'Wel ... 'wy'n siŵr na fyddai hynny'n gwneud dim drwg, gan mai ti ddaeth o hyd i'r allwedd fyddai'n ei agor wedi'r holl flynyddoedd 'ma, ond bydd rhaid i mi gysylltu gyda dy brifathro i ddweud wrtho. Mr Hopcyn yw e o hyd, ife?'

'Ie,' atebodd Owain. 'Neu Mr Mathews falla – fo ydi'r archifydd – fyddai'n well i chi gysylltu gydag o, tybed?'

'Wel, falle, os wyt ti'n credu bydd e'n gwybod beth mae'r allwedd yn ei agor ...'

Diflannodd Bedwyr am ychydig funudau i ffonio Mr Mathews, a dychwelodd gyda gwên ar ei wyneb.

'Dywedodd Mr Mathews wrtha i taw ti yw'r crwt enillodd gystadleuaeth yr Hanesydd Ifanc a bod gen ti reswm da dros fenthyg yr allwedd, siŵr o fod. Felly dyma hi i ti. Wnei di ddishgwl ar ei hôl hi, gwnei? Hoffem ni ei chael hi 'nôl wedi i ti fennu gyda hi.'

Rhoddodd Owain yr allwedd yn ôl yn ei boced a diolch i Bedwyr cyn gadael trwy'r drws ffrynt.

Cafodd sioc pan welodd Sam a Dic yn disgwyl amdano y tu allan.

'Wel, beth ydych chi'n ei feddwl?' gofynnodd wedi i'r drws gau y tu ôl iddo. 'Fetia i fod yr allwedd yn ffitio'r drws cudd.'

'Wel, 'wy'n credu bod ti'n iawn,' meddai Dic a nodiodd Sam yntau.

Crwydrodd y tri i lawr y stryd. Dywedodd Owain helô wrth ryw ddyn od yr olwg wnaeth godi ei het wellt a chwifio ei law i'w cyfarch wrth iddo fynd heibio.

Diflannodd yr ysbrydion wedi i Owain ddringo ar y trên, oedd bellach dan ei sang gyda phobl oedd yn teithio adref o'u gwaith. Teimlodd yr allwedd yn pwyso i mewn i'w goes a meddyliodd tybed beth oedd y tu ôl i'r drws dirgel.

Wrth iddo gerdded i fyny dreif i Graig-wen, agorodd Mr Mathews ffenest a gweiddi, 'Owain, alli di ddod i 'ngweld i, plis?'

Cododd Owain ei law arno i'w ateb a loncian i fyny'r grisiau.

Roedd gan Mr Mathews swyddfa fechan ar y llawr cyntaf lle roedd o'n ymchwilio i hanes yr ysgol. Roedd y ddesg yn gymysgedd o bentyrrau o lyfrau a phapurau oedd yn atgoffa Owain o amlinelliad mynyddoedd y Berwyn. Dim ond prin gallu gweld yr hen athro roedd o.

'Owain, beth ydi'r busnes yma?' gofynnodd. 'Wnaeth archifydd y Kings fy ffonio i ddweud wrtha i dy fod ti wedi galw.'

'Ddes i o hyd i allwedd ar dir yr ysgol, syr, a wel, ges i'n arwain i feddwl bod ganddi rywbeth i'w wneud gyda'r ysgol yna,' dechreuodd. 'A wedyn pan es i draw i ysgol y Kings, wnes i ddarganfod ei bod yn agor cist. Roedd allwedd arall y tu mewn i'r gist a dwi'n credu gwnaiff hi ffitio clo drws y siambr gudd o dan ein llofft ni.'

'Dwi'n dal ddim yn sicr am beth wyt ti'n siarad amdano,'

dywedodd Mr Mathews. 'Ond dwi yn hoff iawn o antur ac mae'n siŵr nad oes yna ddim drwg mewn ceisio agor y drws.'

Cerddodd y ddau i fyny'r grisiau i'r llofft lle roedd Alun yn gorwedd ar ei wely yn darllen comic sombi. 'Helô, Mr Mathews,' meddai gan lamu ar ei draed.

Chwifiodd Owain yr allwedd o dan ei drwyn a gwenu. 'Dwi'n meddwl bod hi gen i,' meddai wrth ei ffrind.

Helpodd y bechgyn ei gilydd i agor y trapddrws a rhoddodd Owain y fflachlamp ymlaen er mwyn goleuo'r stafell islaw gyda golau melyn, crynedig.

'Mae batri'r fflachlamp ar fin darfod, Mr Mathews,' eglurodd. 'Gwell i ni frysio.'

Arweiniodd Owain y ffordd, gyda Mr Mathews ac Alun wrth ei gwt. Aeth yn syth at y drws a dod o hyd i'r clo.

'Ffwrdd â ni,' meddai gan roi'r allwedd yn y drws yn dyner a'i throi. Griddfanodd y drws a rhoddodd Owain dro arall iddo.

'Efallai ei fod o wedi rhydu,' meddai Mr Mathews. 'Gad i mi drio, yli.'

Ond yna rhoddodd Owain fwy o fôn braich i'r troi ac fe wnaeth y drws ymateb gyda 'clync' uchel.

Pylodd y fflachlamp ymhellach wrth i Owain edrych ar yr athro.

'Wna i ei agor, syr?'

'Dos yn dy flaen. Ti wedi dod cyn belled. Ond bydd yn ofalus, cofia. Efallai bydd 'na greaduriaid bach blewog yn rhedeg o gwmpas yn fan yna!'

Gwthiodd Owain y drws a rhoi ei ysgwydd oddi tano, ac agorodd hwnnw gyda gwich.

Cymerodd ychydig eiliadau iddo ddod i arfer gyda'r tywyllwch a sylweddolodd fod ei fflachlamp ar fin diffodd. Roedd ychydig bach o olau yn dod o'r wal ar y dde, lle roedd ffrâm ffenest hynafol yn gadael ychydig o haul y machlud i mewn drwyddi. Camodd tuag ati'n ofalus, yn ansicr o'r hyn oedd o dan draed.

'Nefoedd yr adar,' meddai Mr Mathews, gan ei ddilyn i mewn i'r siambr. 'Mae hyn siŵr o fod yn eitha tebyg i'r hyn deimlodd yr archeolegwyr hynny wnaeth ddarganfod beddrod Tutankhamun.'

Sylweddolodd Owain fod twll bychan yng nghornel un o'r cwareli, a defnyddiodd ei lawes i rwbio'r ffenest yn ofalus, gan chwalu degawdau o lwch a budreddi. Boddwyd y stafell gyda golau'r haul.

Safodd Mr Mathews yn gegrwth yng nghanol y stafell, oedd yn llawn bocsys o bapurau, yn ogystal â chratiau pren mawr oedd wedi cael eu cau'n dynn gyda hoelion.

'Dwi'n credu bod angen i ni ffonio'r heddlu, syr,' meddai Alun.

'O dwi'n siŵr nad oes angen hynny. Beryg mae llwyth o hen sbwriel sy 'ma,' atebodd Mr Mathews. 'Efallai fod digon o bethau difyr ar gyfer fy ymchwil i yma ond dwi ddim yn gallu dychmygu beth arall fyddai o ddiddordeb.'

'Na, syr, edrychwch fan acw,' mynnodd Alun.

Yno, ar y silff o dan y ffenest, roedd pistol.

PENNOD
CHWECH AR HUGAIN

Rhewodd Owain ac Alun wrth iddyn nhw syllu ar yr arf. Roedden nhw wedi gweld pistols o'r blaen mewn amgueddfeydd, ond roedd y rheiny mewn casys gwydr, ac yn bell o'u cyrraedd.

'Nefi wen, ti'n iawn, Huws,' meddai Mr Mathews. 'Owain, tyrd oddi wrth y wal yna a phaid â chyffwrdd y pistol.'

Roedd y golau tu allan wedi dechrau pylu, ond cymerodd Owain un cip olaf drwy'r ffenest. Roedd golygfa dda o'r llecyn bach o goed lle safai'r garreg wen. Meddyliodd Owain iddo weld cysgod rhywun neu rywbeth yn mynd heibio, ond diflannodd yr eiliad y sylwodd arno.

Arweiniodd Mr Mathews y bechgyn allan o'r stafell a chau'r drws y tu ôl iddyn nhw.

'Reit, chi'ch dau,' meddai wrth y bechgyn wrth iddyn nhw esgyn yn ôl i'r llofft. 'Dwi'n mynd i lawr y grisiau i nôl y prifathro, a bateris ar gyfer y fflachlamp yna. Peidiwch â mynd yn ôl i lawr i'r twll yna eto, plis.'

Eisteddodd Owain ac Alun ar erchwyn eu gwelyau, eu meddyliau'n rasio wrth iddyn nhw ystyried popeth roedd nhw newydd ei weld.

'Beth wyt ti'n meddwl sydd yn y bocsys 'na?' gofynnodd Alun.

'Wn i ddim, ond maen nhw'n edrych yn ofnadwy o hen,' atebodd Owain. 'Dwi ddim yn meddwl bod neb wedi bod y tu ôl i'r drws 'na ers degawdau.'

Rhythodd Owain i lawr y grisiau. 'Sgwn ni pam yn union cafodd Sam ei ddenu i'r ysgol yma? Dwi'n amau ei fod o'n gwybod mwy na mae o'n ei gyfaddef.'

Cerddodd Mr Hopcyn i mewn, yn edrych yn hynod ddifrifol.

'Beth goblyn sydd wedi bod yn digwydd yn y fan yma, Morgan?'

Syllodd i lawr i'r stafell gudd. 'Oes ganddo unrhyw beth i'w wneud gyda'r ffonau symudol a ddygwyd?'

'Wel, syr, dyna sut darganfyddom ni'r stafell yma i ddechrau ...' dechreuodd Owain egluro.

'Dangoswch i mi beth ddarganfyddoch chi, Mr Mathews. Arhoswch chi yma, fechgyn,' cyfarthodd y prifathro.

Arhosodd Owain ac Alun tra aeth yr athrawon i lawr i'r stafelloedd cudd. Daeth y ddau yn eu holau o fewn pum munud.

'Morgan, Huws, mae gen i ofn bydd yn rhaid i chi symud i rywle arall i gysgu heno,' meddai Mr Hopcyn. 'Bydd yn rhaid i mi ffonio'r heddlu a byddan nhw'n siŵr o darfu arnoch yn ofnadwy wrth fynd drwy eich stafell. Ewch i nôl eich bagiau a phopeth fydd ei angen arnoch ar gyfer yr ysgol fory, a ddown ni o hyd i welyau i chi a'r bechgyn eraill. Huws, wnei di fynd i chwilio am dy gyd-letywyr?'

Wedi i Alun adael, eisteddodd Mr Hopcyn ac edrych i fyw llygaid Owain.

'Dyw Mr Mathews na finne ddim yn siŵr iawn beth sy'n mynd ymlaen yn fan hyn, Morgan,' dechreuodd. 'Ond 'wy'n bwriadu mynd at wraidd y mater. A beth yw hyn 'wy'n ei glywed amdanat ti'n mynd i ysgol y Kings?'

Soniodd Owain ddim gair am yr ysbrydion, ond ceisiodd egluro fel daeth o hyd i'r allwedd gyntaf a pham yr aeth o i'r Kings i chwilio am yr ail. Ond gwyddai ei fod o'n swnio'n hurt bost.

'Roedd gen ti jest rhyw hen "deimlad" bod 'na allwedd yno oedd yn ffitio'r clo yma oherwydd ei bod hi ar gylch allwedd gyda'r gair Kings arno?' gofynnodd y prifathro. 'A wyt ti'n disgwyl i mi dy gredu di?'

'Wel ...' baglodd Owain.

'Mae Owain yn fachgen gonest ac anrhydeddus,' torrodd Mr Mathews ar draws. 'Dwi'n sicr nad oedd o'n bwriadu gwneud unryw niwed yma ac efallai ei fod o wedi gwneud ffafr fawr â ni os ydi'r bocsys 'na'n cynnwys beth dwi'n feddwl sydd ynddyn nhw.'

'Jest pacia dy fagiau, Morgan, a wna i gwrdd y pedwar ohonoch chi yn fy stafell mewn chwarter awr,' gorchmynodd Mr Hopcyn. 'A pheidiwch â chrwydro ymhell heno achos dwi'n siŵr bydd yr heddlu moyn cael gair gyda chi.'

Gwnaeth Owain yn ôl y gorchymyn a rhoddodd Mr Mathews help llaw iddo i bacio. 'Paid â phoeni, Owain,' dywedodd. 'Mae Mr Hopcyn yn amlwg yn gofidio am yr ysgol. Ond dwi'n siŵr daw popeth i fwcwl cyn bo hir. Mae'n rhaid i mi gyfadde 'mod i'n gweld hyn i gyd yn eitha cyffrous achos mae gen i deimlad bod y papurau sydd i lawr yn y fan'na yn rhan o hen archifau coll yr ysgol.'

Gwenodd Owain a chodi ei fag oddi ar y gwely. 'Diolch, Mr Mathews, dwi'n falch 'mod i wedi gallu helpu. Dwi'n gwybod bod fy stori i'n swnio damed yn wallgof ond dwi'n gobeithio gwnaiff popeth weithio allan yn iawn yn y diwedd.'

Cyrhaeddodd Alun, Rhodri a Dylan fel roedd Owain yn gadael ac eglurodd o wrthyn nhw beth oedd yn digwydd. 'Rhaid i ni fod yn swyddfa'r prif mewn deng munud, felly brysiwch,' meddai. 'Wnaiff Mr Mathews egluro popeth wrth i chi bacio.'

PENNOD
SAITH AR HUGAIN

Daeth Mr Hopcyn o hyd i welyau sbâr mewn un llofft i Rhodri a Dylan, ond bu'n rhaid i Owain ac Alun fynd i aros i'r llofft sbâr yn nhŷ'r prifathro ar dir yr ysgol. Coginiodd ei wraig swper anferthol iddyn nhw, ond allai Owain ddim ei orffen dros ei grogi.

Cyrhaeddodd Mr Hopcyn fel roedd y bechgyn hanner ffordd i fyny'r grisiau ar eu ffordd i'w gwelyau.

'Wnawn ni siarad fory,' meddai. 'Dyw'r heddlu ddim yn rhy bryderus am yr hyn ddarganfyddon nhw ar yr olwg gynta. Mae'r cwbl yn dishgwl fel hen, hen hanes. Ond mae Mr Mathews yn sicr wedi'i gyffroi gan yr holl beth.'

Wnaeth Owain ddim cysgu'n dda iawn. Roedd ei feddwl yn llawn o'r hyn a ddigwyddodd a'r modd yr oedd o wedi ceisio'i egluro. Gwyddai fod yna nifer o atebion i'w gwestiynau wedi'u cuddio yn y stafell yna.

Roedd o'n cael trafferth canolbwyntio ar ei wersi y bore canlynol. Bu'n rhaid i Mr Dwyfor alw ei enw ddwywaith er mwyn tynnu ei sylw.

'Wyt ti gyda ni, Mr Morgan?' gofynnodd yn goeglyd. 'Neu ai breuddwydio am sgorio'r cais wnaiff ennill y gêm yn y rownd gynderfynol wyt ti eto?'

Rhoddodd Owain wên denau iddo a dychwelyd i'w lyfr. Roedd o wedi anghofio popeth am y gêm mewn gwirionedd, er mai dim ond pedair awr ar hugain oedd i fynd. Byddai'n rhaid iddo fynd i redeg am sbel go dda wedi ymarfer heno.

Roedd ymarfer olaf y tîm iau yn fyrrach nag arfer. Aeth Mr Charles â'r sgwad drwy'r holl symudiadau ac fe wnaeth o hyd yn oed ddod ag Owain â chwpwl o'r eilyddion eraill ymlaen i chwarae tua'r diwedd. Efallai ei fod o'n bwriadu rhoi ychydig mwy o funudau iddo yn y gêm gynderfynol. Roedd y tîm wedi ymlacio, ac roedd digon o chwerthin a thynnu coes, hyd yn oed pan ddywedodd Brython ychydig o eiriau. Fe dynnon nhw goes Mr Charles hefyd, wrth i Zac Cooper guddio'i fwrdd tactegau yn y cawodydd.

Wrth i'r tîm grwydro yn ôl i'r ysgol wedyn, sleifiodd Owain ymaith a mynd ar drot tua'r coed. Gwthiodd drwy'r brigau isel ac eistedd i lawr ar y garreg i gael ei wynt ato.

'Ti'n dishgwl wedi ymlâdd,' meddai Sam, gan gerdded trwy'r coed tuag ato.

'Wel, prin wnes i gysgu winc neithiwr, a heddiw dwi wedi cael diwrnod llawn yn yr ysgol, a dwi wedi ymarfer rygbi. Dwi wedi blino'n lân,' snwffiodd Owain.

'Beth ddigwyddodd gyda'r allwedd?' holodd Sam.

'Wel, wnaeth hi agor y drws, ond fues i ddim yno am fwy na dau funud achos bu'n rhaid i ni ddod allan. Roedd 'na bistol wedi cael ei guddio yno. Dychmyga, roedden ni'n cysgu uwch ei ben drwy'r flwyddyn!'

'Pistol, ddywedaist ti?' gofynnodd Sam.

'Ia ...' atebodd Owain. 'Roedd o ar y silff, o dan y ffenest. Edrych, dwi wedi tynnu ei lun.'

'Oedd yna unrhyw beth arall yno?' gofynnodd Sam gan syllu ar lun y pistol.

'Na. Dim ond rhyw focsys o bapurau a chistiau pren, dwi'n meddwl. Roedd hi'n dywyll ofnadwy yno ac roedd popeth yn llanast,' dywedodd Owain.

'Gad i mi wybod beth wnawn nhw ei ddarganfod, wnei di?' mynnodd Sam.

Nodiodd Owain ac fel roedd o ar fin gofyn cwestiwn i'r ysbryd, diflannodd hwnnw cyn i Owain allu agor ei geg.

Rhedodd Owain ddwywaith o amgylch y cae rygbi cyn iddo anelu am ei gartref dros dro. Doedd o ddim eisiau gweld Mr Hopcyn a phan agorodd ei wraig y drws iddo, roedd o'n hapus i'w chywed yn dweud wrtho bod y prifathro allan mewn cyfarfod.

'Mae e mas gyda'r Mr Duffy hyfryd yna. Mae e mor hael gyda'r ysgol, ti'n gwybod. Wyt ti'n adnabod ei fab dymunol e, Richard?'

Gwingodd Owain a nodio ond doedd o ddim eisiau cael ei dynnu i mewn i sgwrs am un o'i gas gyd-ddisgyblion.

Roedd Alun yn eistedd yn y gegin o flaen y sleisen olaf o darten afalau. 'Owain, dwi wedi cadw tamed i ti,' gwenodd.

Patiodd Alun ei fol a gwenu eto. 'Pryd ffantastig eto heno, Mrs Hops. Ydych chi'n meddwl byddan nhw eisiau i ni aros yma tan ddiwedd y flwyddyn ysgol?'

Gwenodd Mrs Hopcyn. 'Bydden i'n dwli eich cael chi 'ma. Mae hi'n braf cael cwmni o gwmpas y lle wedi i'n bechgyn ni fynd bant i'r coleg. Ac mae bob sleisen o darten afalau ry'ch chi'n eu bwyta yn un yn llai i mi. Wna i wneud un arall nawr er mwyn i chi ei chael hi i frecwast.'

'Dim diolch, Mrs Hopcyn,' meddai Owain. 'Dim ond rhywbeth bach ysgafn i mi. Brechdan ella. Mae gen i gêm fawr fory ac ella bydd rhaid i mi symud bach cynt nag Alun.'

PENNOD
WYTH AR HUGAIN

Roedd y rownd gynderfynol yn frwydr greulon, gyda chais ardderchog gan Zac Cooper yn ennill y dydd i Graig-wen, ond er gwaethaf y canlyniad gwych, dychwelodd bechgyn Craig-wen i'r ysgol gyda wynebau hir. Wrth iddyn nhw ddringo ar y bws i ddychwelyd i'r ysgol, fe wnaeth ambiwlans eu goddiweddyd a saethu i fyny'r ffordd, ei seiren yn sgrechian. Roedd Rolant y tu mewn iddi, wedi iddo gael cnoc hegr yn hwyr yn y gêm. Edrychai fel ei fod wedi gwneud difrod drwg i'w ffêr.

Cymerodd Owain ei le fel maswr a wnaeth o ddim o'i le yn yr wyth munud cyn i'r gêm ddirwyn i ben.

'Chwaraeaist ti'n dda, Owain,' dywedodd Brython wrth fynd heibio iddo ar y bws. 'Roedd honna'n sefyllfa anodd, ond fe gadwaist ti dy ben. Wela i di'n yr ymarfer fory – mae gynnon ni lawer iawn o waith i'w wneud nawr cyn y ffeinal.'

Gwenodd Owain a throi ei ben at y ffenest wrth i'r capten fynd yn ei flaen. Roedd o'n dal yn flinedig. Doedd o ddim wedi arfer gyda matres mor feddal â'r un yng ngwely sbâr yr Hopcyns a chwympodd i gysgu.

Yn ei freuddwyd roedd o'n brysio drwy hen ddociau Caerdydd, a chriw o blismyn wrth ei sodlau. Wrth iddo wau drwy'r llongau, teimlodd fwled yn sïo heibio'i glust. 'Peidiwch â saethu,' gwaeddodd nerth esgyrn ei ben. 'Dim ond mynd yn ôl i'r ysgol ydw i!'

Dihunodd yn sydyn i gyfeiliant sŵn chwerthin. Roedd

Prysor a Gaf yn pwyso dros gefnau ei seddi o'i flaen.

'Beth oedd hynna am "peidiwch â saethu", Morgan?' chwarddodd Gaf. 'Wyt ti'n breuddwydio am ffilm gangsters neu rywbeth?'

Cochodd Owain fel tomato a throi oddi wrth y pâr. Mae'n rhaid ei fod wedi bod yn cysgu am sbel achos roedd y bws yn tynnu i fyny ar dir Craig-wen. Wrth iddyn nhw nesáu at y drws, roedd twrw ym mlaen y bws wrth i nifer o fechgyn godi ar eu traed.

'Beth maen nhw yn ei wneud yma?' gofynnodd Brython.

Safodd Owain yntau a chafodd ei fwrw oddi ar ei echel pan welodd ddau gar heddlu, ambiwlans a thryc mawr gwyn wedi'i barcio y tu allan i adeilad y llofftydd.

Daeth y bws i stop a disgynnodd y bechgyn oddi arno mewn rhes a mynd i nôl eu bagiau cit o'r lle storio oddi tano. Daeth Mr Hopcyn – oedd wedi bod yn siarad gyda heddwas – draw i longyfarch Mr Charles.

'Da iawn bois, 'wy'n deall bod honna yn fuddugoliaeth nodedig,' anerchodd y prifathro'r tîm. 'Mae'n flin gen i nad oeddwn i'n gallu bod yno ond fe fydda i'n sicr yn y ffeinal. Mae gen i ofn fy mod i wedi cael fy nala yn yr ysgol ar fater pwysig.'

Oedodd Mr Hopcyn ac edrych ar wynebau bob un o'r chwaraewyr yn eu tro. 'A, dyna lle wyt ti, Owain Morgan. Fyddai ots gen ti ddod gyda fi, plis?'

Cochodd Owain am yr ail waith mewn pum munud a doedd ganddo ddim dewis ond dilyn y prifathro ar draws y dreif at lle safai dyn mewn iwnifform ddu.

'Dyma Owain Morgan,' meddai Mr Hopcyn wrth y dyn.

'Fe yw'r bachgen ddaeth o hyd i'r stafell ddirgel.'

'Aha, yr anturiaethwr!' meddai'r heddwas. 'Fy enw i yw'r Arolygydd Corbet. Tybed allet ti ddweud stori'r stafell gudd yn ei chrynswth wrtha i yn dy lofft?'

Dilynodd Owain yr heddwas i fyny'r grisiau a synnodd o weld bod tâp plastig gyda'r geiriau SAFLE TROSEDD ar draws drws ei lofft.

'Ydw i mewn trwbwl, syr?' gofynnodd Owain.

'Na, dim o gwbl. 'Wy'n deall taw dim ond am funed neu ddwy buest ti yn y stafell?'

'Ia,' atebodd Owain yn gyflym. 'Roedd Mr Mathews efo mi drwy gydol yr amser.'

Daeth dyn wedi'i wisgo mewn siwt wen gyda hwd i fyny'r grisiau ac i mewn i'r llofft, dyn arall wrth ei sawdl. Roedden nhw'n cario dau bolyn hir pren rhyngddyn nhw, wedi'i orchuddio gyda blanced werdd fras. Edrychai fel stretsier.

Daeth trydydd dyn i mewn i'r stafell wrth iddyn nhw adael a chydnabod yr arolygydd.

'A, syr,' meddai. 'Mae gynnon ni rywbeth eithaf diddorol fan hyn. Sgerbwd cyfan mewn dillad llongwr – oddeutu 30au'r ganrif ddwytha, ddywedwn i. Mae *beret* du am ei ben. Ond mae'r cwbl wedi pydru a does dim unrhyw bapurau ar y sgerbwd wnaiff ein helpu i adnabod y corff.'

'Corff!' ebychodd Owain. 'O dan ein llofft ni?'

PENNOD
NAW AR HUGAIN

'Paid becso, grwt. Mae hi'n rhy hwyr i ddechrau becso bytu fe,' gwenodd yr arolygydd.

Ymddangosodd Mr Mathews yn y drws.

'Pnawn da, Arolygydd,' meddai. 'Athro wedi ymddeol o'r ysgol ydw i a ffrind i deulu Owain Morgan. Os ydych chi eisiau siarad gydag o, hoffwn i fod yn bresennol.'

Nodiodd yr arolygydd. 'Ar bob cyfrif, i'r dim. Ond does dim angen i Mr Morgan fecso. Mae'r dyn yma wedi marw ers degawdau, druan.'

'Ro'n i gydag Owain pan agorwyd y drws am y tro cynta ac fe adawon ni yn syth,' meddai Mr Mathews.

'Iawn,' atebodd yr heddwas. 'Wel, efallai galle un ohonoch chi ddweud wrtha i os gwnaethoch chi gyffwrdd y pistol oedd ar y sil ffenest?'

'Naddo,' dywedodd Mr Mathews. 'Yr eiliad gwelsom ni o wnaethon ni adael yn syth, gan sylweddoli bod angen galw'r heddlu.'

'Da iawn,' meddai'r Arolygydd Corbet. 'Ond ar yr olwg gynta, mae'n edrych fel bod arogl cordeit ar y dryll.'

Edrychodd Owain yn ddryslyd.

'Flin gen i. Dylen i egluro,' meddai'r heddwas. 'Mae arogl y pistol yn gwneud i ni amau iddo gael ei saethu yn ddiweddar iawn.'

Llyncodd Owain yn galed.

Sylwodd yr heddwas ar y newid yn wyneb Owain.

'Wyddost ti unrhyw beth am hynny, grwt?'

'Wel, na, wn i ddim pwy saethodd y pistol,' dechreuodd Owain egluro. 'Ond ro'n i allan yn rhedeg ychydig wythnosau yn ôl pan glywais i gwpwl o ergydion. Ro'n i'n amau eu bod nhw wedi dod o'r ysgol ond doeddwn i ddim yn siŵr.'

'Wnest ti ddweud hyn wrth unrhyw un?'

'Naddo,' meddai Owain gan deimlo ychydig o embaras. 'Doeddwn i ddim yn sicr os mai dyna glywais i. Ro'n i'n meddwl o bosib mai sŵn car neu rywbeth oedd o.'

'A ble yn union oeddet ti pan ddigwyddodd hyn?'

'Allan wrth ymyl y coed, yn fan'cw,' pwyntiodd Owain drwy'r ffenest.

Gofynnodd yr arolygydd fwy o gwestiynau i Owain a Mr Mathews am agor y stafell ac edrychai'n hapus gyda'u hatebion.

'Ga i ofyn cwestiwn i chi?' meddai Mr Mathews.

'Wrth gwrs,' gwenodd yr Arolygydd Corbet. 'Wn i ddim os galla i ateb ond ...'

'Beth yn union sydd yn y bocsys acw?'

'Wel, papure, rhan fwya. Bydd yn rhaid i ni wneud yn siŵr, ond ymddengys nad oes dim byd mwy na hen ffeiliau ysgol ynddyn nhw,' eglurodd. 'Wy'n amau taw cael eu storio'n ddiogel yma roedden nhw. Ry'n ni wedi dod o hyd i focs yn llawn o hen offer meddygol a chadachau yma hefyd. A chist fawr bren arall. Doeddwn i ddim eisiau ei gorfodi hi ar agor felly mae rhywun wrthi yn ceisio agor y clo ar hyn o bryd.'

'A phwy yw'r dyn sydd wedi marw?' holodd Owain.

'Dim syniad. Fe glywsoch chi'r meddyg. Does ganddo ddim papurau adnabod ac fe gymerith hi sbel i ni fynd drwy ein ffeiliau 'pobl goll', er ein bod ni am ddechrau gyda'r 30au, gan bod yna fathodyn ar ei ddillad sy'n edrych fel ei fod o'r cyfnod yna.'

'Arolygydd!' daeth bloedd islaw. ''Wy wedi cael gafael ar olion bysedd ar y pistol. A ddyfalwch chi byth, maen nhw'n ffresh!'

Cuchiodd yr Arolygydd Corbet. 'Ydych chi, wŷr bonheddig, yn sicr na wnaethoch chi gyffwrdd y pistol yna?'

Rhythodd Mr Mathews arno. 'Dwi'n bendant ac yr un mor bendant na wnaeth Owain ei gyffwrdd chwaith. Mae'n rhaid bod yna ryw eglurhad arall.'

'Wel, byddai ots gennych chi petaen ni'n cymryd eich olion bysedd – jest ar gyfer yr ymchwiliad?' gofynnodd yr arolygydd.

'Wrth gwrs,' dywedodd Mr Mathews a gwylio wrth i un o'r dynion oedd mewn siwt wen estyn cit olion bysedd. Rhoddodd o ac Owain eu samplau iddyn nhw ac fel roedden nhw ar fin gadael, daeth bloedd arall o'r stafell gudd islaw.

'Arolygydd, ry'n ni wedi medru agor y gist bren,' meddai'r heddwas wthiodd ei ben drwy'r trapddrws. 'Mae hi'n ysbail reit ddifyr.'

'Hoffech chi weld hyn, Mr Mathews?' gofynnodd yr arolygydd wrth iddo eu harwain i lawr y grisiau.

Roedd y technegwyr wedi codi'r gist allan o'r stafell ochr ac wedi'i hagor wrth droed y grisiau, felly gallai Owain weld beth oedd ynddi. Hyd yn oed yn y tywyllwch, gallai weld ei bod hi'n llawn o gwpanau a thlysau arian.

PENNOD DEG AR HUGAIN

Lledaenodd y stori am agor y siambr gudd a'r trysorau a ddarganfuwyd yno fel tân gwyllt. Roedd rhan ganolog Owain yn y ddrama yn ei wneud o'n ganolbwynt sylw i bawb a phrin y gallai o gerdded dau fetr unrhyw le yn yr ysgol heb fod rhywun yn pwyntio ato neu yn gofyn cwestiwn iddo. Roedd yr athrawon eisiau clywed am y darganfyddiad, hyd y oed.

Claddodd Owain ei hun yn y prosiect hanes roedd o bron â'i orffen, ac yn ei rygbi, ac roedd o'n ffordd dda iawn o ddianc.

Roedd llai nag wythnos i fynd cyn ffeinal y Cwpan Iau ym Mharc yr Arfau. Roedd Mr Charles yn awyddus i ddatblygu gwell dealltwriaeth rhwng Owain a'r mewnwr, Padrig Bwcle, felly roedd yna hyd yn oed gwpwl o sesiynau ymarfer cyn eu gwersi, gyda dim ond y ddau ohonyn nhw a'r hyfforddwr.

'Mae blaenasgellwyr y Kings yn hynod o glou,' eglurodd yr hyfforddwr wrth Padrig. 'Felly rhaid i ti fod hyd yn oed yn glouach yn cael y bêl mas i Owain.'

Gweithiodd y ddau fachgen ar ddatblygu arwyddion a'r cyflymder a'r cyfeiriad gorau i Owain dderbyn y bêl.

Wrth i'r tri grwydro yn ôl tua'r ysgol, roedd nyrs yr ysgol, Miss Probert, yn parcio ei char. Cododd ei llaw a gweiddi ar Mr Charles. ''Wy jyst moyn eich rhybuddio chi Mr Charles, fod 'na nifer o'r bechgyn wedi cael bola tost reit gas. Mae tri yn dost ofnadw ar hyn o bryd, ond fe hoffen i petaech chi'n gallu cadw llygad barcud ar eich chwaraewyr. Bydd nifer ohonyn nhw wedi cael brechiad rhag y salwch ond bydd y rhai na chafodd bigiad mewn trwbwl.'

Gwelwodd Mr Charles. 'Diolch, Miss Probert. Mae hynna'n rhywbeth wnaiff beri pryder mawr. Fechgyn, ewch yn ôl i'r ysgol nawr. Wela i chi yn ymarfer y prynhawn 'ma.'

Trodd pawb lan i'r ymarfer a gofynnodd Mr Charles i'r holl fechgyn sut roedden nhw'n teimlo. Pwysleisiodd pa mor bwysig oedd hi iddyn nhw ddweud wrth Miss Probert os oedden nhw'n teimlo'n dost o gwbl.

Dychwelodd Owain i'r llofft i gyfarfod Dylan ac i gasglu ei fagiau ar gyfer ymweliad byr â Dolgellau. Roedd y bechgyn yn hen lawiau ar deithio ar y bws erbyn hyn ac ymlaciodd y ddau wrth iddo wibio drwy bentrefi'r canolbarth ar y ffordd adref.

'Glywaist ti am y peth byg stumog 'ma?' gofynnodd Owain i'w ffrind. 'Mae Mr Charles ofn trwy waed ei galon iddo effeithio ar y tîm. Dwi'n meddwl ei fod o'n falch o glywed 'mod i'n gadael yr ysgol am y penwythnos!'

'Wyt ti'n meddwl y byddwch chi angen asgellwr?' gofynnodd Dylan. 'Yn enwedig un sydd efo profiad o sgorio ceisiau ym Mharc yr Arfau. Ti'n gwybod beth maen nhw'n ddweud am gael y boi iawn i'r job?'

Chwarddodd Owain. 'Bydd hi'n ddigon anodd heb dy gael di allan ar yr asgell. Wyt ti wedi trefnu rhywbeth ar gyfer y penwythnos?'

'Mae Cadi eisiau mynd i'r sinema nos fory. Wyt ti awydd dod?'

'O, pam lai? Dwi heb weld ffilm ers oes pys,' atebodd Owain.

Gwahanodd y bechgyn wrth yr arhosfan bysus lle roedd

tad Owain yn aros yn ei gar. Roedd tŷ Dylan dafliad carreg o'r arhosfan felly gallai gerdded adref. 'Wela i di fory, Owain. Galwa draw tua chwech?'

Ar y ffordd adref, rhannodd Owain gymaint o'r ddrama ac y gallai o am y stafell gudd gyda'i dad, heb sôn gair am yr ysbrydion.

'Iesgob annwyl, mae hynna'n swnio'n gyffrous. Roedd y pistol wedi'i danio hefyd? Dwi'n gobeithio nad oeddet ti mewn peryg?'

'Nag oeddwn, Dad,' chwarddodd Owain. 'Dwi'n credu mai hen hen hanes oedd o i gyd.'

Roedd mam Owain yn fwy pryderus fyth, ond tawelodd Owain ei hofnau wrth egluro bod yr heddlu wedi mynd â phopeth ymaith i'w archwilio.

Dechreuodd y penwythnos yn Nolgellau yn dawel. Treuliodd y rhan fwyaf o'i amser yn bwyta, cysgu ac ymweld â'i daid, ond helpodd ei dad i beintio'r sied a golchodd y car hefyd. Ar ôl swper, llamodd i fyny o'r bwrdd i hel y llestri a thorchodd ei lewys er mwyn eu golchi.

'Pam wyt ti mor awyddus i helpu?' holodd ei fam.

'Dim rheswm,' gwenodd Owain. 'Dwi wastad yn hapus i helpu.'

'Wyt ti'n chwilio am ychydig o bunnoedd ar gyfer dy ddêt i'r sinema heno?' chwarddodd ei dad.

Cochodd Owain. 'Cynnig caredig iawn, Dad,' gwenodd Owain. 'Deg punt? Perffaith.'

Chwarddodd ei dad. 'Mae deg punt yn iawn am yr holl waith ti wedi'i wneud. Gad y llestri yna a dos i wneud dy hun yn barod. Wna i roi lifft i ti draw i dŷ Dylan.'

PENNOD
UN AR DDEG AR HUGAIN

Roedd y ffilm yn ychydig bach o drychineb. Nid ffilm drychineb, ond ffilm ofnadwy am bobl dwp yn gwneud pethau anghredadwy. Chwarddon nhw drwy'r holl ddarnau difrifol, a chymerodd Owain a Dylan dro i wneud synau chwydu ffug pan oedd yr actorion yn ceisio bod yn ddoniol. Roedd Cadi a'i ffrind, Dwynwen, yn gweld eu hantics yn ddoniol iawn.

'Gallet ti fod yn ddigrifwr, Owain,' chwarddodd Cadi ar un pwynt.

Roedden nhw'n dal i chwerthin wrth iddyn nhw adael y sinema ac fe wnaeth y criw grwydro i'r dref mewn hwyliau arbennig o dda.

'Wyt ti'n dod i lawr ar gyfer y gêm wythnos nesa, Cad?' holodd Owain.

'Dwi ddim yn meddwl. Dydi Mam ddim ond yn mynd i wylio gemau Dyl,' atebodd.

'Ella bydd o'n chwarae wedi'r cwbl. Mae 'na fyg stumog ofnadwy yn mynd o amgylch yr ysgol ac ella byddan nhw'i angen o.'

Chwarddodd Cadi. 'Ar dîm y Cwpan Iau? Dyl bach ni? Byddai hynna'n ddigri ofnadwy. Ella basa fo'n medru rhedeg rhwng eu coesau nhw ...'

Gyda hynny, brysiodd Cadi ymaith, gan chwerthin wrth geisio osgoi bachau ei brawd.

Rhedodd y ddau am tua hanner can metr cyn iddyn nhw stopio, yn fyr eu hanadl, o flaen y siop sglodion.

'Dowch bois, oes 'na rhywun ffansi sosej a sglods?' gofynnodd Dylan.

'Dim i mi,' meddai Owain. 'Dwi wedi bod yn bwyta drwy'r penwythnos a dydi sglodion ddim yn syniad da os wyt ti eisiau corff athletwr, fel fy un i.'

Gwenodd Dylan a nodio. 'Wsti be, dwi'n meddwl dy fod ti'n iawn. Rŵan, rasia i di i'r archfarchnad a gei di afal yn lle hynny.'

Y prynhawn canlynol, cerddodd Owain i weld ei daid yn ei gartref. Roedd gan yr hen ŵr annwyd ac roedd o'n eistedd wedi'i lapio mewn blanced pan alwodd Owain.

'Dwi wedi cael y dos yma am gwpwl o ddyddiau ond wna i'n sicr 'mod i'n iawn ar gyfer fy nhrip blynyddol i Barc yr Arfau ar gyfer y ffeinal,' gwenodd. 'Dywedodd Arfon wrtha i dy fod ti wedi bod yn creu argraff ar sgowtiaid carfan y Gleision.

'O ddifri? Doeddwn i heb glywed hynny ...' atebodd Owain, mewn penbleth.

''O, ella 'mod i wedi rhoi 'nhroed ynddi. Neu ella 'mod i wedi gwneud camgymeriad,' dywedodd ei daid.

'Dwi ond wedi chwarae am ychydig o funudau yma ac acw y tymor yma,' atebodd Owain. 'Dim ond yn y Glan Efa ges i gêm iawn.'

'Wel, mae'n siŵr nad ydi hi'n cymryd yn rhy hir i ti ddangos pa mor dda wyt ti,' chwarddodd. 'Ond oes gen ti'r stamina i bara am gêm gyfan wythnos nesa?'

Gwenodd Owain. 'Dwi ddim yn siŵr a bod yn onest. Dwi wedi ymarfer yn galed ond mae hi wedi bod yn rhwystredig cael cyn lleiad o amser yn y canol. Gobeithio y galla i ymdopi.'

Ysgydwoddd ei daid ei fys. 'Owain Morgan, ti'n chwaraewr ffantastig a ddylwn i wybod. Rhaid i ti wneud yn sicr bod gen ti hyder ynddot ti dy hun achos daw hynny i'r amlwg yn y ffordd ti'n chwarae. Mae bod yn faswr yn golygu bod â'r gallu i wneud penderfyniadau sydyn a gweithredu arnyn nhw'n syth. Os nad wyt ti'n credu ynddot ti dy hun, wnei di ddim chwarae cystal ag y gallet ti. Felly paid byth ag anghofio dy gemau gwych a sut gwnest ti helpu Craig-wen i sgorio.'

Gwenodd Owain. 'Diolch, Taid. Dwi'n siŵr bydda i'n iawn. Dyma'r trydydd tro i mi chwarae ym Mharc yr Arfau ac mae o'n dal i fy llethu i damed bach. Ac mae bob un o'r bois dwi'n chwarae yn eu herbyn nhw flwyddyn neu fwy yn hŷn na fi.'

'Ond does gan yr un ohonyn nhw dy brofiad di ym Mharc yr Arfau,' meddai ei daid. 'Mae gen ti ddwy fedel enillwyr o ddwy gêm grêt yno. Wn i am chwaraewyr rygbi gwych sydd wedi mynd trwy eu holl yrfaoedd heb hyd yn oed ennill gêm yno, heb sôn am fedel.'

Diolchodd Owain i'w daid a rhoi cwtsh iddo. 'Wela i chi wythnos nesa 'ta a gobeithio cewch chi sedd dda.'

'O dwi'n siŵr bydd gan Arfon Mathews un gyfforddus braf i mi yn y bocs VIP,' chwarddodd. 'Wna i godi fy llaw arnat ti.'

Roedd Dylan yn dalp o gyffro ar y ffordd yn ôl i Gaerdydd ar y bws. Roedd Cadi wedi sôn wrtho am awgrym Owain y gallai o fod yn y tîm o ganlyniad i'r byg stumog ac roedd o eisoes yn cynllunio ei dactegau ar gyfer chwarae yn y gêm.

'Pwylla, Dyl!' plediodd Owain. 'Dweud hynny wrth Cad er mwyn ei hannog i ddod i wylio'r ffeial wnes i. Byddai'n rhaid i lwyth o'r bois fod yn sâl er mwyn i ti gael gêm.'

Yr eiliad y dywedodd o hynny, sylweddolodd Owain fod ei eiriau'n rhai creulon. Rhythodd Dylan ar ei ffrind a throi i edrych drwy'r ffenest a rhoi'i glustffonau i mewn, yn amlwg wedi'i frifo.

PENNOD
DEUDDEG AR HUGAIN

Roedd Owain yn iawn, wrth gwrs, ond doedd o ddim wedi disgwyl i gymaint o'r sgwad gael eu llorio gan y salwch. Piciodd Mr Charles draw i'r llofft ar y nos Sul i wneud yn siŵr bod ei faswr yn dal yn holliach.

'Diolch byth,' ochneidiodd. 'Mae'r chwech oedd i fod i ddechrau a thri arall o'r sgwad yn y stafell feddygol. 'Wy wedi gofyn i'r trefnwyr ohirio'r gêm ond maen nhw wedi gwrthod. Rhywbeth i'w wneud gyda'r ffaith ei bod hi'n cael ei darlledu ar y teledu a bod tocynnau wedi cael eu gwerthu. Ond maen nhw wedi gadael i ni gofrestru chwaraewyr ychwanegol o'r tu fas i'r 35 sydd yn y sgwad, diolch byth, felly o leia gallwn ni ffurfio tîm.'

Trodd Mr Charles i edrych ar weddill y stafell. 'Dylan Jones,' dywedodd. 'Ry'n ni braidd yn fyr o asgellwyr. Alli di droi lan i ymarfer fory?'

Nodiodd Dylan. 'Ydych chi angen Rhodri hefyd?' gofynnodd.

'Wel, mae Gaf Dafydd mas, felly man a man i ti ddod â fe draw i lenwi bwlch,' atebodd yr hyfforddwr. 'Ac os gweli di Gavin Johnson, wnei di ofyn iddo fe ddod hefyd?'

Cyn gynteg ag y gadawodd Mr Charles y stafell, llamodd Dylan i fyny ar ei wely a neidio din-dros-ben fel petai o ar drampolîn.

'Iahwww!' gwaeddodd. 'Am newyddion gwych i mi. Ac i Rhodri hefyd!'

Gwenodd Owain. 'Bydd rhaid i Cadi a dy fam ddod i lawr rŵan, wrth gwrs.'

'Bydd, wnes i anghofio hynna,' atebodd Dylan. 'Ond ella basa hi'n well i mi weld sut aiff yr ymarfer?'

Doedd yr hanes am y modd roedd sgwad Craig-wen wedi crebachu yn ofnadwy heb gyrraedd clustiau'r wasg eto a dyna pam na soniwyd gair am y peth yn rhagolwg y gêm ar Golwg 360. Yn ystod y wers gyntaf ar y dydd Llun, galwodd Mr Hopcyn yn y labordy gwyddoniaeth i ddarllen yr erthygl yn uchel i'r bechgyn:

Bydden i'n mentro dweud bydd y gêm rhwng Craig-wen ac ysgol y Kings yng ngêm y Cwpan Iau yr wythnos yma yn wrthdaro clasurol o steiliau. Yng nghrochan Stadiwm Parc yr Arfau, gallai hon fod yn frwydr enfawr yn y ffosydd. Mae cenhedlaeth aur y Kings yn enigmataidd, fel arfer, ond mae Craig-wen hefyd yn gewri ar y cae ac yn haeddu parch.

Yn ddiddorol iawn, mae'r olaf wedi gorfod addasu rhywfaint y tymor hwn ac wedi gorfod dwyn bachgen ifanc o Flwyddyn Naw i'w rhengoedd ar gyfer y diwrnod mawr. Mae'r amryddawn Owain Morgan wedi cael ei ddewis ar gyfer y tîm ac wedi cael ei dynnu oddi ar y fainc ar gyfer y Gwrthdaro Mawr. Mae o'n sicr o gamu i'w bwlch yn erbyn tîm sydd yn draddiodadol wedi bod yn ddraenen yn ystlys ei ysgol.

Teimlodd Owain ei fochau'n fflamio wrth i nifer o'i gyd-ddisgyblion droi i syllu arno.

'Wel, Owain, ymddengys dy fod ti'n cael dy gysidro'n

"amryddawn",' dywedodd y prifathro. 'Wel, pob lwc dydd Mercher a 'wy'n siŵr gwnaiff y bechgyn ddymuno'n dda i ti'n y "frwydr enfawr yn y ffosydd",' chwarddodd.

Roedd llawer mwy o dynnu coes drwy gydol y diwrnod a ddaeth hynny ddim i ben pan wnaeth Owain fynd i ymarfer ar ôl yr ysgol. Gan fod cynifer o'r chwaraewyr yn sâl, bu'n rhaid i Mr Charles anghofio am ei gynllun i gael sesiwn ymarfer ysgafn a chael sesiwn ymarfer lawn er mwyn cyflwyno'r eilyddion i dactegau'r tîm.

Roedd cyn lleied o asgellwyr ar y tîm fel cafodd Dylan gyfle i chwarae yn erbyn bachgen o dîm y 15Cs. Roedd Dylan yn llawer cynt na'r chwaraewr hŷn, ac ar ôl ei ail gais dywedodd Mr Charles wrtho am ymuno gyda grŵp y tîm cyntaf.

Roedd gan Owain biti dros Mr Charles, gan ei fod yn edrych dan straen o ganlyniad i'r newidiadau munud diwethaf i'w gynlluniau. Roedd un arall o'r rheng flaen wedi cael ei lorio'r bore hwnnw ac roedd yr hyfforddwr yn ofni y byddai crasfa gan dîm y Kings yn codi cywilydd ar yr ysgol.

Doedd Brython ddim wedi cael y byg ond roedd yntau bron â chyrraedd pen ei dennyn hefyd. Roedd o'n safle rhif 8 ond roedd y blaenasgellwyr yr oedd o wedi bod yn ymarfer gyda nhw'n sâl yn eu gwelyau ac roedd o'n cael trafferth i egluro'r galwadau i Gavin a'r blaenwyr eraill oedd wedi camu i'r bwlch.

Wedi i'r ymarfer ddod i ben, gofynnodd Mr Charles iddyn nhw ddychwelyd y diwrnod canlynol er mwyn iddyn nhw gael cyfle arall i weithio ar gynlluniau pellach.

Cerddodd Owain yn ôl i'r ysgol gyda'r bechgyn oedd yn rhannu ei lofft.

'Mae pethau'n gymaint cynt,' ebychodd Rhodri.

'Ac maen nhw cymaint yn fwy,' meddai Dylan gan lyncu'n galed.

'Dyna pam dwi yn y tîm yma ers dechrau'r flwyddyn – a rydych chi'ch dau ond wedi ymuno wedi i'r pla dorri allan,' meddai Owain dan gellwair a dechrau rhedeg.

Ond wrth iddo fynd heibio'r gongl daeth i stop wrth weld y prifathro a'r Arolygydd Corbet yn cael sgwrs ddwys.

'A, Owain,' gwaeddodd Mr Hopcyn. 'Mae gan yr arolygydd fan hyn newyddion difyr iawn am ein preswylydd dirgel anffodus. Gadewch i ni fynd i fy swyddfa.'

Dilynodd Owain yr athro a'r heddwas a safodd yn y drws wrth iddyn nhw eistedd yn eu cadeiriau.

'Mae gen i ofn bod y dirgelwch wedi dwysáu,' eglurodd yr arolygydd. 'Llwyddon ni godi set o olion bysedd glân oddi ar y pistol oedd newydd ei saethu a daeth ein technegwyr o hyd i fatsh yn ein cofnodion. Ond y peth rhyfedd yw eu bod nhw ar gyfer gŵr oedd eisoes wedi dod i'n sylw – neu sylw'r heddlu yn 1930au.'

'Ei enw oedd Joseba Pastor. Morwr o Sbaen oedd e. Aelod o lynges y Weriniaeth. Arweiniodd long o Gymru i geisio torri blocád Franco ar un o borthladdoedd Llywodraeth y Bobl yn Sbaen. Ymosododd awyrennau Franco ar ei long a'i dinistrio. Llwyddodd Joseba a rhai o'r morwyr Cymreig i ddianc oddi ar ei bwrdd, ond anafwyd Joseba yn bur ddrwg.'

Cyrhaeddodd Mr Mathews ddrws swyddfa'r prifathro a sefyll wrth ymyl Owain wrth i'r Arolygydd Corbet fynd ymlaen gyda'i stori.

'Doedd yna ddim un ffordd bod y morwyr Cymreig yn mynd i adael Pastor yn Sbaen, achos does dim dwywaith y byddai wedi marw yno. Felly fe lwyddon nhw i'w smyglo yn ôl i Gymru.'

'Jiw, rhaid bod honno'n sialens a hanner?' gofynnodd Mr Hopcyn.

'Oedd. Cawson nhw gryn ffwdan i gyrraedd yma, yn ôl beth 'wy'n ei ddeall, a phan gyrhaeddon nhw ddociau Caerdydd, daeth y cwch bach y llwyddon nhw i groesi'r sianel ynddo i sylw'r heddlu. Cafodd y Cymry fraw pan sylweddolon nhw bod yr heddlu yn agosáu – a dianc – ond allai Pastor ddim symud mor glou â nhw oherwydd ei anafiadau.

'Beth ddigwyddodd iddo?' holodd Mr Mathews.

'Cafodd ei ddal ac fe'i llusgwyd i orsaf yr heddlu. Roedd yr awdurdodau'n bwriadau ei garcharu oherwydd ei ran yn y rhyfel, ond doedd y Cymry ddim yn mynd i adael i arwr fel fe fe bydru yn y jâl, yn enwedig a hwythau wedi llwyddo i'w gludo bob cam o Sbaen. Felly wrth i Pastor gael ei drosglwyddo i'r carchar mewn fan heddlu, ymosododd y Cymry ar y fan, rhyddhau Pastor a diflannu.

'Nefoedd yr Adar, pwy feddylie?' meddai Mr Hopcyn. 'Ac oes gennych chi unrhyw syniad sut ar wyneb y ddaear daeth Pastor i fod yng Nghraig-wen, o bob man?'

'Dim syniad, mae gen i ofn,' dywedodd yr Arolygydd.

'Wel, ym, efallai y galla i helpu yn y fan yna,' meddai Mr Mathews, gan roi tagiad swil. 'Dwi wedi bod yn ysgrifennu hanes yr ysgol,' ychwanegodd 'a dwi wedi bod yn cael cryn drafferth achos bod cyfran fawr o gofnodion y lle 'ma ar goll. Mae bylchau mawr, yn enwedig o gwmpas 30au'r ganrif ddwetha. Ond dwi wedi darganfod bod un o'r athrawon oedd yn gweithio yma yn y cyfnod hwnnw'n hannu o Wlad y Basg a'i fod o'n bleidiol iawn i achos y gweriniaethwyr yno. Efallai ei fod o wedi bod yn barod i roi lloches i gyd-wladwyr dewr oedd ar ffo yng Nghaerdydd?'

'Mae'n bosib bod cyswllt rhwng y ddau beth,' cyfaddefodd

yr Arolygydd Corbet, gan grafu ei ben.

'Efallai y gall y bocsys o ffeiliau ddarganfyddoch chi ddweud mwy wrtha i?' meddai Mr Mathews.

''Wy wedi dod â nhw yn ôl i chi,' ychwanegodd yr heddwas. 'Wnaethon ni ddim llwyddo i ddod o hyd i ddim byd perthnasol ond wedi dweud hynny, ry'ch chi yn fwy tebygol o fod yn tipyn mwy cyfarwydd gyda'r cymeriadau a'r cyfnod na ni.'

Gwenodd Mr Mathews a diolch yn gynnes iawn i'r heddwas wrth i hwnnw baratoi i adael am y tro.

Wedi swper, aeth Owain i'w stafell a gorwedd ar ei wely gan syllu ar y nenfwd. Roedd ei ben yn troi wrth feddwl am ffeinal y Cwpan Iau, ei brosiect hanes, a'r cyfarfod gyda'r Arolygydd Corbet. Fel arfer, byddai wedi clirio'i ben wrth fynd allan i loncian, ond roedd o wedi blino wedi'r ymarfer – ac roedd hi'n tywallt y glaw p'run bynnag.

Sylweddolodd fod ganddo gymaint o gwestiynau i'w gofyn i Sam, ond byddai'n rhaid iddyn nhw aros am y tro.

'Ti'n edrych fel dyn gyda phwysau Craig-wen ar dy ysgwyddau,' tynnodd Alun ei goes wrth iddo grwydro i mewn i'w llofft. 'Nerfus am y gêm?'

'Dim yn arbennig a bod yn onest,' atebodd Owain. 'Na, mae fy meddwl i'n troi wrth feddwl am y stafell gudd a phob dim. Beryg bod cysylltiad rhwng y corff a ddarganfuwyd a Fernando Alberdi, cyfaill Sam. Felly dwi'n methu peidio â meddwl ella bod cysylltiad posib rhwng Sam a'r corff, yn enwedig gan mai ffoadur o Sbaen oedd o. Dwi wedi amau nad ydi Sam wedi dweud popeth wrtha i o'r dechrau, a dweud y gwir.'

'Pam nad awn ni i lawr i'r stafell eto?' gofynnodd Alun. 'Ella bydd y boi arall 'ma yno hefyd?'

Cytunodd Owain a chododd o'i wely.

Fe ddefnyddion nhw'r teclyn i agor y trapddrws a chychwyn i lawr y grisiau, gydag Owain yn arwain y ffordd. Roedd ganddo fflachlamp gyda bateris llawn dan ei fraich.

Roedd y clo trwm yn gorwedd ar y llawr y tu allan i'r stafell gudd, gyda'r allwedd yn dal ynddo. Rhoddodd Owain yr allwedd yn ei boced, gan gofio ei addewid i archifydd y Kings. Unwaith roedden nhw yn y stafell, fe fflachiodd y golau i'r pedair congl, gan obeithio y byddai hynny'n helpu, ond roedd yr heddlu wedi clirio pob twll a chornel o'r stafell.

'Wyt ti'n chwilio am rywun?' meddai llais cyfarwydd a throdd Owain ei fflachlamp i gyfeiriad y llais. Daeth crys du a chroes wen enwog Castell-nedd i'r golwg o dan y golau.

'Dic! Roist ti gymaint o fraw i ni!' ebychodd Alun.

'Ysbryd ydw i! Dyna 'wy fod i'w wneud!' chwarddodd Dic.

Gwenodd Owain hefyd ond diflannodd y wên wrth i ddau ffigwr disglair arall gamu i mewn i'r stafell.

Sylweddolodd mai Sam oedd un ond roedd y llall yn ddieithryn.

'Shw'mae, Owain,' meddai Sam gyda thinc o embaras yn ei lais. 'Wy'n credu bod arna i eglurhad i ti. Ond i ddechrau, falle dylen i dy gyflwyno di i fy nghyfaill, Joseba.'

PENNOD
PEDWAR AR DDEG AR HUGAIN

'A 'wy'n credu bod arna i ymddiheuriad i ti grwt,' meddai'r trydydd o'r ysbrydion, gŵr pryd tywyll oedd o gwmpas yr un oed â Sam, er ei fod yn fyrrach o ran taldra. 'Ti yw'r bachgen y bu'n rhaid i mi saethu ato dro yn ôl, ontefe?'

Nodiodd Owain.

'Wel, fel gwnaiff Sam egluro, bu'n rhaid i mi dy rybuddio i gadw draw rhag y rhan yna o dir yr ysgol,' meddai Joseba. 'Mae'n ddrwg calon gen i am hynny, ond 'wy'n un da iawn am saethu a wnes i anelu ddeg llath uwch dy ben di ac i'r chwith ohonot ti. Doeddet ti byth mewn unrhyw berygl.'

Cliriodd Sam ei wddw ac edrych ar y bechgyn. 'Wy'n ddiolchgar iawn i chi am eich help, fechgyn, fel mae Joseba. Ry'ch chi wedi'i helpu fe'n fwy na ddeallwch chi byth.'

'Ro'n i'n iawn felly,' meddai Owain. 'Mae cysylltiad rhyngddoch chi. Trwy Fernando Alberdi wnaethoch chi gyfarfod, ia?'

'Na. Wnaethon ni erioed gwrdd,' dywedodd Sam, 'ddim tan nawr.' Gwenodd wrth weld y dryswch ar wyneb Owain. 'Ond ro'n i'n gwybod popeth am Joseba, fel roedd e'n gwybod popeth amdana i. Ac i lythyrau Fernando mae'r diolch am hynny.'

Cuchiodd Owain. 'Mae'n ddrwg gen i, ond dach chi wedi 'ngholli i,' dywedodd.

'Roedden ni'n llythyru tra oeddwn i bant yn brwydro yn Sbaen, on'd oedden ni. Mae'r llythyrau hales i ato fe yn un o'r bocsys ddarganfuwyd yma, fel mae hi'n digwydd. Er bod y rhai halodd Fernando ata i wedi diflannu i'r pedwar gwynt. Ta p'un i, does dim ots am hynny', meddai Sam wrth weld y dryswch yn parhau ar wyneb Owain. 'Gadewch i mi gadw pethau'n syml. Tra o'n i bant yn brwydro, ges i lythyr gan Fernando yn dweud ei fod wedi cwato ffoadur o Wlad y Basg yma, yng Nghraig-wen.'

'Sef fi,' torrodd Joseba ar draws Sam, gyda gwên.

'Sut yn union daethoch chi yma?' holodd Owain.

'Cael fy nghludo yma gan forwyr Cymreig wnes i,' dywedodd Joseba, 'wedi iddyn nhw fy nghipio o grafangau'r heddlu yn nociau Caerdydd. Roeddwn i wedi cael fy anafu yn ddifrifol wedi i'm llong gael ei dinistrio gan luoedd Franco yn Sbaen ac fe'm smyglwyd i Gymru. Ces loches yma gan Fernando, a drefnodd i feddyg oedd yn bleidiol i'n hachos ni ddod yma i drin fy nghlwyfau.'

'Fe awgrymais i wrth Fernando y dylai e smyglo Joseba i Rydaman, wedi iddo wella rhwyfaint,' eglurodd Sam. 'Ro'n i'n sicr y gallem ni ei gwato ar un o ffermydd ein cefnogwyr ni yno, ymhell o olwg yr awdurdode. Roedd ganddo fe fisoedd o waith gwella o'i flaen, ond y gobaith oedd y byddai'n gallu dychwelyd i Sbaen ac ailafael yn y brwydro maes o law.'

'Ond un noson fe wnes i waelu yn glou, yng nghanol y nos,' torrodd Joseba ar ei draws. 'Doeddwn i ddim yn gallu galw ar Fernando am help, achos dim ond unwaith y dydd y gallai e ddod i lawr yma i fy ngweld, rhag ofn i rywun sylweddoli fy mod i yma. A'r bore wedyn, wnes i jest ddim dihuno.'

'Farwoch chi yn eich cwsg?' gofynnodd Owain, ei lygaid fel dwy soser wrth i Joseba nodio.

'Y peth nesa 'wy'n ei gofio yw clywed rhyw gryts ifanc yn crafangio wrth y drws. Es i mas a rhoi tamed bach o fraw iddyn nhw gyda 'chydig o wwww-wwwwws,' chwarddodd Joseba. 'Fe ollyngon nhw bopeth a sgrialu bant.'

'Ond y peth trist yw fy mod i wedi marw yn Sbaen heb gael gwybod beth oedd tynged Joseba,' aeth Sam yn ei flaen.

'Gawsoch chi ddim llythyr gan Fernando?'

''Wy'n siŵr ei fod e wedi hala un ata i, ond anafwyd fi'n angeuol cyn i mi ei dderbyn. Ond mae'n amlwg mai ysbryd Joseba yn dihuno ddaeth â fi yn ôl i Graig-wen.'

'A diolch byth am hynny,' torrodd Joseba ar draws Sam unwaith eto. 'Wnes i adnabod Sam pan weles i fe drwy'r ffenest. Ro'n i wedi gweld ei lun e, Jac a Wil gan Fernando ac fe saethes i'r pistol i dynnu ei sylw, yn y gobaith y gallai e fy rhyddhau o'r guddfan yma wedi'r holl flynydde.'

'Roedd e ar dân eisiau dychwelyd i Sbaen, gan na fu yno ers i'r Rhyfel Cartref ddod i ben. A dyna pam ro'n i'n chwilio am yr allwedd allai agor cist y Kings wrth droed y garreg wen. Ond mae hi'n anodd symud pridd yn glou pan nad yw eich bysedd wedi'u gwneud o groen ac esgyrn rhagor,' gwenodd Sam. 'Ond diolch byth, roeddet ti yn gallu rhoi help llaw i mi, Owain.'

'Pan welais i ti mas 'na cyn hynny, ro'n i ofan i ti ddod o hyd i'r allwedd ac na fydden i byth yn dod o hyd i'r heddwch 'wy wedi bod yn ei ddeisyfu. Dyna pam wnes i saethu'r pistol, er mwyn rhoi llond twll o ofan i ti. Ond 'wy ddim yn credu gwnaeth hynny weithio!'

'Wel, gododd o ofn arna i am eiliad,' cyfaddefodd Owain. 'Ac mae'r heddlu yn methu deall sut ar wyneb y ddaear y cafodd y pistol ei saethu, er bod y drws wedi cael ei gau ers dros wyth deng mlynedd!'

'O leia mae gen ti rywbeth i sgwennu amdano fe yn dy brosiect nawr, on'd o's e?' gwenodd Sam.

'Dwi ddim yn meddwl,' atebodd Owain. 'Os gwna i sôn am ysbrydion, wnaiff neb goelio yr un gair sgwenna i. Ond mae Sam wedi bod yn wych ac mae o wedi rhoi llwyth o wybodaeth i mi.'

'Wy'n falch 'mod i wedi gallu helpu, grwt,' atebodd Sam. 'Mae Joseba yn haeddu seibiant bach o'r lle yma, wedi'r holl flynydde. A 'wy'n mawr obeithio y cawn ni gwrdd y ddau ohonoch chi eto rhyw ddiwrnod,' ychwanegodd cyn i'r tri ysbryd ddechrau diflannu.

Wrth iddo fynd, taflodd Sam wrthrych bach pres yn dyner at Owain. 'Co, alli di wneud unrhyw ddefnydd o hwn?'

Casyn y fwled saethodd yr heddlu ato fe, Jac a Wil pan oedden nhw'n eu cwrso o'r dociau oedd ganddo.

'Waw, am *anhygoel*,' meddai Alun, pan ddywedodd Owain wrtho am hanes y casyn. 'Anrheg arall o fyd yr ysbrydion wnaiff gwblhau prosiect gwych arall.'

PENNOD
PYMTHEG AR HUGAIN

Roedd Mr Charles mewn cyflwr ofnadwy. Fel arfer roedd ei bwl o nerfau o flaen pob gêm yn waeth na rhai'r chwaraewyr, ond roedd y salwch stumog wedi'i wneud o'n fwy ar bigau'r nag arfer. Ar y bws ar y ffordd i'r stadiwm, cerddodd i fyny'r ail yn astudio llygaid a wynebau bob un o'r chwaraewyr am unrhyw arwyddion o salwch.

'Mr Charles!' llefodd y prifathro. 'Ry'ch chi wir angen ymlacio. 'Wy'n siŵr gwnaiff y bois adel i chi wybod os nad ydyn nhw'n teimlo'n dda. Mae'n edrych fel taw nerfau yw'r peth gwaetha maen nhw'n ddioddef ohono. A 'wy ddim yn siŵr iawn a ydych chi'n gwneud dim i wella hynny.'

Chwarddodd Owain. Roedd o wedi ymlacio'n braf. Roedd cael Rhodri a Dylan gydag o'n help mawr ac roedd Gavin Johnson yno hefyd, yn cynrychioli'r flwyddyn is ar dîm Craig-wen. Roedd y ffaith eu bod wedi colli cymaint o chwaraewyr yn siomedig, ond roedd o hefyd yn tynnu pwysau mawr oddi ar y gweddill. Doedd neb yn disgwyl iddyn nhw ennill rŵan ac roedd gwybod hynny yn eu galluogi i wynebu'r gêm dan lai o straen.

Tynnodd y bws i mewn i'r stadiwm a pharcio wrth ymyl tîm bws y Kings, oedd newydd gyrraedd hefyd. Sganiodd Owain wynebau'r oedolion oedd gyda'r tîm ond doedd yr archifydd, Bedwyr, ddim yn eu plith.

Roedd Craig-wen wedi cael stafelloedd gwisgo y tîm cartref a chymerodd Owain hynny fel arwydd da – gan eu bod wedi'u defnyddio yn ystod ei ddwy gêm gwpan arall yno. Newidiodd pawb yn gyflym a mynd i redeg ar y cae gan wylio'r eisteddleoedd wrth i'r cefnogwyr ddechrau dod i mewn yn gwisgo sgarffiau, hetiau a chrysau glas a melyn Kings, a gwyrdd a gwyn Craig-wen.

Treuliodd Owain y rhan fwyaf o'i amser yn ymarfer cymryd ciciau gosod o wahanol onglau, gan geisio synhwyro cyfeiriad y gwynt yn y stadiwm, gan ei fod o'n aml yn chwyrlïo o gwmpas mewn cylchoedd yno. Helpodd Dylan ef i hel y peli yn y sach rwyd a chododd y ddau eu dwylo ar eu teuluoedd wrth iddyn nhw gerdded oddi ar y cae.

Wrth iddyn nhw gyrraedd y stafell wisgo, synhwyrodd y ddau awyrgylch gwahanol, a doedd o ddim yn un da. Rhuthrai Mr Charles o gwmpas ac roedd Rhodri yn sefyll ger y drws, ei wyneb yn wyn fel y galchen mewn sioc.

'Beth sy'n digwydd?' gofynnodd Dylan.

'Padrig,' meddai Rhodri. 'Pan ddaethon ni'n ôl i mewn, ddechreuodd daflu i fyny. Mae o'n y tŷ bach yn y fan yna.'

'O na, mae hynny'n golygu—'

'Ydi, dwi'n chware,' meddai Rhodri gan lyncu'n galed.

Rhedodd y timoedd ar y cae gyda chyhoeddwr y stadiwm yn dweud wrth y dorf, 'Mewn newid munud olaf i'r hyn a nodir yn eich rhaglen, bydd Rhodri Ceredig yn cymryd lle Padrig Bwcle ar dîm Coleg Craig-wen.'

Daliodd Owain yn ôl hyd ddiwedd y llinell a phatiodd Rhodri ar ei ben wrth iddyn nhw adael y twnnel. 'Byddi di'n iawn, Rhodri. Pwylla a mwynha y diwrnod. Does dim angen i ti fod yn nerfus – ti wedi chwarae yma'n amlach na dim un o fois y Kings.'

Gwenodd Rhodri. 'Hei, pwynt da. Wnes i ddim sylweddoli hynny. Pob lwc i ti hefyd.'

Roedd Dylan yn iawn pan ddywedodd o ychydig ddyddiau ynghynt bod aelodau ei dîm newydd cymaint yn fwy na'r tîm dan 14. Ac edrychai bechgyn y Kings yn fwy fyth.

Pan chwaraeodd Owain ym Mharc yr Arfau o'r blaen, roedd Craig-wen wedi chwarae cyn gêm fawr y Gleision, felly doedd y stadiwm ddim mor llawn rŵan ag oedd o bryd hynny. Ond wedi dweud hynny, roedd torf enfawr wedi ymgynnull i weld yr hen gystadleuwyr yn brwydro.

Taflwyd y bunt a Brython enillodd, felly Owain oedd yn cael dechrau'r gêm. Roedd yn well ganddo gymryd y gic gychwyn bob amser. Cymerodd ei amser yn propio'r bêl i fyny a disgwyl cyfarwyddiadau'r dyfarnwr.

'Bant â'r cart,' meddai'r dyn yn y crys melyn, cyn chwythu ei chwiban yn galed.

Ciciodd Owain y bêl yn uchel, gan obeithio y byddai'n oedi yn yr awyr er mwyn i flaenwyr Craig-wen gael cyfle i redeg oddi tani. Gweithiodd yn berffaith, gyda daliwr y Kings yn cael ei foddi'n syth gan don o grysau gwyrdd a gwyn. Rhuodd y dorf ei chymeradwyaeth – roedd hi wastad yn bwysig ennill y sgôr cyntaf. Yn well fyth, cymerodd y taclwyr y bêl oddi ar chwarewr y Kings a'i phasio'n ôl i Rhodri.

Llwyddodd y mewnwr i gael y bêl yn ôl i Owain yn gyflym a sgimiodd ei gic ef i'r gornel bellaf ar draws y cae fel carreg lefn, cyn iddi fownsio dros yr ystlys. Rhuodd cefnogwyr Craig-wen unwaith eto, gan synhwyro fod posib ennill pwyntiau yn sgil y dechrau anhygoel yma.

Hedfanodd Brython i'r awyr yn y llinell a dal y bêl gyda

dwy law, ac wrth i'w dîm gasglu o'i gwmpas, fe yrron nhw tua'r llinell. Roedd blaenwyr y Kings yn amlwg wedi'u syfrdanu gan y modd roedden nhw'n cael eu gwthio'n ôl gan bac llai ac ysgafnach, a hynny cyn iddyn nhw hyd yn oed gael cyfle i setlo i mewn i'r gêm.

Dim ond ychydig fetrau o'r llinell oedd Craig-wen. Safodd Rhodri gyda'i law ar gefn Brython cyn cymryd cip yn ôl ar Owain, oedd yn syllu'n syth i'w lygaid. Nodiodd Owain a fflicio'i lygaid tua'r llawr, i'r dde o'r pac.

Deallodd Rhodri beth oedd ganddo dan sylw. Wrth i'r sgarmes wthio'n ei blaen fesul modfedd, symudodd Owain i'r dde, gan dynnu sylw maswr y Kings, a symudodd i'w ganlyn. Cipiodd Rhodri'r bêl a deifio i ble roedd y bwlch wedi agor yn y llinell. Gan droelli ei gorff fel samwn, gwthiodd y bêl yn ei blaen a bwriodd y llawr jest dros y llinell wyngalchog.

'Biiiiiiiiiiiiip,' meddai chwiban y dyfarnwr wrth i'w fraich dde saethu'n syth i'r awyr.

Cymerodd gryn amser i Rhodri, a oedd wedi'i gladdu dan bentwr o gyrff mewn crysau glas a melyn i ymddangos, ond buan y boddwyd o gan glwstwr o grysau gwyrdd a gwyn.

Gwenodd ar Owain a gwneud siâp ceg 'diolch' cyn rhoi'r bêl iddo. Propiodd Owain hi ar y ti a pharatoi ar gyfer y gic. Clywodd lais cyfarwydd yn gweiddi 'Dos amdani, Owain!' o'r eisteddleoedd. Edrychodd draw at lle roedd Cadi a'i deulu o'n eistedd a gwenodd. Cymerodd gam yn ôl cyn bwrw'r bêl yn syth drwy'r pyst.

PENNOD
UN AR BYMTHEG AR HUGAIN

Mae bod ar y blaen o saith pwynt o fewn dau funud yn ddechrau dda i unrhyw gêm. Ond roedd Owain yn poeni bod Craig-wen newydd roi tân ym mol eu gwrthwynebwyr. Roedd y Kings yn ochr gref a gwyddai Owain y bydden nhw'n ailgrŵpio yn dilyn yr ergyd yma. Roedd eu cryfder yn golygu y gallen nhw ddisgwyl ennill mwy o feddiant o'r bêl, a phrif sialens Craig-wen fyddai sicrhau na fyddai hynny'n arwain at fwy o bwyntiau.

Trawodd y Kings yn ôl yn galed a ddaeth Craig-wen ddim allan o'u hanner nhw am yr ugain munud nesaf. Ond galluogodd pas flêr gan y Kings i Owain godi'r bel a'i kicio i'r ystlys jest heibio'r hanner ffordd. Roedd Zac wedi cael cnoc felly manteisiodd gweddill y chwaraewyr ar y cyfle i gael diod o ddŵr a chael ambell eiliad o orffwys.

'Mae angen i ni gario ymlaen i daclo,' meddai Brython, oedd wedi bod yn rhedeg dros fwy o'r cae na neb, ar y ddwy ochr. 'Peidiwch â gadael iddyn nhw gael cip o'n llinell ni. Gallwn ni wneud hyn.'

Enillodd Brython y llinell unwaith eto, a'r tro yma aeth Owain am y bêl. Ciciodd hi'n uchel i'r awyr ac wrth i gefnwr y Kings ei dal, symudodd Owain yn gyflym a'i thirio gyda thacl. Wnaeth chwaraewr y Kings ddim rhyddhau'r bêl, fodd bynnag, a rhoddodd y dyfarnwr gic gosb i Graig-wen, oedd o fewn cyrraedd Owain.

Chwythwyd y chwiban hanner amser yn fuan wedi hynny, ac wrth iddyn nhw loncian oddi ar y cae, pwyntiodd Brython at y bwrdd sgorio enfawr. 'Wnaiff rhywun fy mhinsio i?' meddai. 'Baswn i wedi chwerthin am eich pennau petaech chi wedi dweud wrtha i y bydden ni ar y blaen o ddeg pwynt i ddim ar hanner amser.'

Er gwaetha'r sgôr, roedd pethau'n ddu yn stafell newid Craig-wen yn ystod hanner amser. Roedd y tacls wedi cael effaith, gyda nifer o'r chwaraewyr yn dioddef o gleisiau a phoenau, gyda'r gweddill yn ceisio gorffwys eu cyrff poenus. Traethodd Mr Charles a Brython am gadw'r un lefel o ymroddiad yn yr ail hanner a gwneud yn sicr nad oedden nhw'n gwneud unrhyw gamgymeriadau gwirion yn eu hanner nhw.

Sleifiodd Owain i'r tŷ bach i gael eiliad o dawelwch – ond chafodd o mohono.

'Shwmai Owain, ti'n chwarae'n dda,' meddai llais cyfarwydd. Trodd Owain a gweld Sam yn sefyll yno. 'Wy'n mawr obeithio gwnewch chi roi crasfa i hen fois y Kings heddi,' meddai wrth i Dic ymddangos y tu ôl iddo a llongyfarch Owain am y ffordd roedd o wedi bod yn chwarae.

'Ti siŵr o fod yn sefyll yn rhy agos at y mewnwr,' awgrymodd. 'Mae'r crwt yna'n pasio'n dda ac os gwnei di sefyll ychydig gamau yn ôl, bydd gen ti fwy o opsiynau ar gyfer ymosod.'

Nodiodd Owain. Roedd Dic wastad wedi cynnig cyngor grêt iddo yn ystod gemau. Byddai'n cael gair gyda Rhodri.

'Diolch, bois. Byddai'n well i mi fynd rŵan,' meddai.

'Wrth gwrs,' meddai Dic. 'Cer amdani. 'Wy erioed wedi hoffi cryts ffroenuchel y Kings 'na chwaith.'

Gwenodd Owain wrtho'i hun a gadael y ddau yn sgwrsio am yr hen amseroedd a fu.

PENNOD
DAU AR BYMTHEG AR HUGAIN

Roedd y tîm eisoes yn gadael y stafell newid, felly cymerodd
Owain ddiod sydyn cyn loncian allan ar ddiwedd y llinell.
Roedd hi wedi dechrau bwrw yn ystod yr hanner amser ac
roedd y gwynt wedi codi.

Edrychodd Rhodri i fyny ar yr awyr wrth iddyn nhw
ddisgwyl i faswr y Kings gymryd y gic gychwyn. 'Mae'n edrych
fel gall hi waethygu,' meddai gan bwyntio at y cymylau duon
oedd yn symud tuag atyn nhw.

Edrychai fel bod tîm y Kings wedi cael pryd o dafod hallt
yn ystod yr hanner amser ac roedden nhw'n benderfynol o
ddod yn ôl i mewn i'r gêm o'r gic gyntaf. Heidiodd eu
blaenwyr ar ôl y bêl gan neidio arni'n gyflym. Gyda Chraig-
wen o dan anfantais, tsipiodd mewnwr y Kings y bêl dros eu
pennau cyn cychwyn ar ei hôl ar garlam. Trodd Owain yn
gyflym ond roedd o eisoes ddau fetr y tu ôl i'r rhif 9 bychan.
Cwrsodd yn galed a gwneud tacl wib bwerus ond aeth
momentwm chwaraewr y Kings ag ef dros y llinell am gais.

Roedd Brython yn gandryll wrth i dîm Craig-wen sefyll yn
aros am y trosiad. 'Fe ddalion nhw ni tra oedd eich hanner
chi'n dala i fod yn y stafell newid,' sgyrnygodd. 'Ry'n ni angen
canolbwyntio'n llwyr am y naw munud ar hugain nesa, a dylai
unrhyw un sydd ddim yn barod i wneud hynny gerdded bant
nawr a gadael i mi ddod â rhywun all wneud hynny ymlaen i'r
cae.'

Cododd hwyliau Brython ryw damed pan wnaeth ciciwr y

Kings fachu'r bêl yn wael, gan lanio'n llydan tu allan i'r pyst, ond ysbrydolwyd y gwrthwynebwyr gan eu sgôr ac fe ruon nhw 'nôl ar yr ymosodiad. Fe dreulion nhw'r deng munud nesaf tu mewn i 22 Craig-wen ond arweiniodd Brython, Gavin ac Aaron Douglas y ffordd yn gwrthsefyll eu hymosodiadau.

Cafodd Craig-wen sgrym yn sgil trawiad ymlaen, roddodd gyfle i Owain gicio'r bêl i fyny'r cae er mwyn lleihau'r pwysau. Cafodd y bawd i fyny gan Brython wrth iddyn nhw drotian i mewn i hanner y Kings am y tro cyntaf ers yr hanner amser. 'Os cei di hanner cyfle i gicio am bwyntiau, cymra fe,' dywedodd wrth Owain. 'Byddai arwain o wyth pwynt yn gwneud pethau damed bach yn fwy cyfforddus. Allwn ni ddim dala mas am byth.'

Nodiodd Owain a chymryd Rhodri i un ochr. Roedd ganddo gynllun i fynd â nhw o fewn cyrraedd. Yn dilyn awgrym Dic, safodd ychydig o fetrau yn ôl o lle y byddai o'n arfer sefyll a phan saethodd Rhodri'r bêl yn ei hôl, roedd o eisoes yn symud ar wib. Cariodd y momentwm ef drwy'r taclau cyntaf ac yn sydyn, roedd o'n wynebu cefnwr y Kings, cawr o fachgen.

Ceisiodd Owain ddefnyddio ochrgamiad a berffeithiodd ar y cae gyda Dreigiau Dolgellau, ond roedd y rhif 15 yn barod amdano a bwriodd ef i'r mwd gyda homar o dacl. Rowliodd Owain a gollwng y bêl. Roddodd Rhodri ei law arni a gwenu arno. 'Gwylia hyn, mêt,' meddai, cyn ei saethu yn ôl i Dylan oedd wedi cymryd lle Owain yn safle'r maswr.

Gwyliodd Owain mewn dychryn wrth i'r asgellwr bach gymryd y bêl gydag un symudiad rhwydd, ei gollwng i'r llawr a'i chicio. Hwyliodd y bêl i'r entrychion cyn disgyn y tu ôl i'r bar.

Saethodd braich y dyfarnwr i'r awyr, ond roedd chwaraewyr Craig-wen yn rhy syfrdan i sylwi. Wedi dwy eiliad o dawelwch, dechreuodd Brython chwerthin. 'Be oeddet ti'n ei wneud, y gwalch bach? Gallai honna fod wedi mynd i unrhyw le!'

Gwenodd Dylan yn ôl. 'Ond wnaeth hi ddim, naddo? Aeth hi'n syth i lawr y canol a rhoi tri phwynt i'r Graig.'

Chwarddodd Owain hefyd. 'Wyt ti erioed wedi cymryd gôl adlam o'r blaen?'

'Ym, naddo ... a dweud y gwir,' llyncodd Dylan yn galed. 'Syniad Rhodri oedd o. Wnes i jest ddim meddwl amdano.'

Gyda'r sgôr yn 13-5, gwyddai bechgyn y Kings y byddai'n rhaid iddyn nhw sgorio ddwywaith eto. Roedd rhywfaint o bennau wedi crymu'n benisel yn dilyn gôl adlam Dylan ac roedd eu calonnau fel petaen nhw'n suddo wrth i'r amser ddirwyn i ben.

Dangosai cloc y stadiwm fod llai na dau funud yn weddill pan enilliodd y Kings gic gosb o fewn y 22 a llwyddodd eu ciciwr i'w throsi. Gwnaeth hyn iddyn nhw sylweddoli fod ganddyn nhw gyfle i ennill y gêm mwyaf sydyn a rhoddodd hyn hwb enfawr iddyn nhw. Pan gwympodd cic gychwyn Craig-wen i'r llawr fe ruthron nhw i mewn i'r ryc.

Ysgytiwyd Owain a'i dîm gan ffyrnigrwydd yr ymosodiad a daeth y bêl i'r golwg ar ochr y Kings yn gyflym. Ffurfiodd y gelyn linell yn barod i ymosod, a pharatôdd Craig-wen i wrthsefyll un ymosodiad olaf. Cymerodd Owain gip sydyn ar y bwrdd sgorio enfawr a gweld y cloc yn tician: 12, 11, 10, 9 ...

Daeth maswr y Kings o hyd i fwlch cyn pasio'r bêl allan i'w ganolwyr, oedd yn rhedwyr pwerus wnaeth dorri drwy eu tacls. Yn sydyn, roedd hi'n dri yn erbyn dau a ffliciodd cefnwyr y Kings y bêl i'w hasgellwr. Roedd o wedi edrych yn siarp ofnadwy ynghynt yn y gêm, ond hwn oedd ei gyfle cyntaf i redeg. Rhuthrodd yn ei flaen ac roedd o fewn metr i dirio'r bêl pan ddaeth niwl gwyrdd a gwyn i'w lwybr o'r chwith. Roedd o fel petai grenâd llaw wedi cael ei daflu at yr asgellwr ac fe'i bwriwyd i'r llawr gan homar o dacl. Plygodd ei gorff wrth iddo ildio a rowlio dros y llinell ystlys wedi'i drechu.

Cododd y dyfarnwr ei chwiban i'w geg am y tro olaf gan ddwyn y gystadleuaeth ryfeddol i ben. Cododd asgellwr y Kings ar ei draed, tynnu'i hun at ei gilydd, cyn patio'r taclwr ar ei ben.

'Da iawn,' cyfaddefodd. 'Am goblyn o ergyd.'

Edrychodd Dylan i fyny, yn syfrdan, a gwenu. 'Ydi'r gêm drosodd? Wnaethon ni ennill?'

Cafodd ei ateb wrth iddo weld pedwar chwaraewr ar ddeg yn rhuthro tuag ato.

PENNOD
DEUNAW AR HUGAIN

Roedd gweld Brython yn codi'r hen gwpan enwog y peth melysaf a welodd Owain ers amser hir. 'Falle mai ti fydd hwnna flwyddyn nesa,' dywedodd Rhodri.

Eisteddodd y tîm yn y stafell newid am hanner awr yn mwynhau eu buddugoliaeth ac ail-fyw moment gôl adlam Dylan. Ceisiodd yr asgellwr bychan sgorio goliau adlam drwy anelu poteli dŵr plastig i'r bin sbwriel, ond methodd bob tro.

Wrth i Owain adael y stafell newid, cafodd ei atal gan dap ar ei ysgwydd. Bedwyr oedd yno, archifydd ysgol y Kings, ac roedd Mr Mathews gydag o. 'Llongyfarchiadau, grwt. Roedd hwnna'n berfformiad grêt heddiw, er 'wy'n siŵr gwnei di faddau i mi am beidio cefnogi dy dîm di. Clywais hanes eich darganfyddiadau chi gan Arfon fan hyn hefyd a 'wy'n dishgwl 'mlân i rannu ychydig o wybodaeth gydg ef.'

Cymerodd Owain yr allwedd o'i boced. 'Diolch, ac ymddiheuriadau am beidio dod â hon yn ôl cyn rŵan, ond ges i ddim cyfle.'

Gwenodd Mr Mathews. 'Ddywedodd Bedwyr wrtha i ei fod wedi dod o hyd i hen lun a dynnwyd yng Nghraig-wen oes yn ôl. Llun o hen dwrnament ydi o, yn cynnwys llun o dimoedd sir Gaerfyrddin, Craig-wen a'r Kings.'

Cymerodd Owain gip agosach ar y llun a gweld llun o Sam yn sefyll yn y llinell ôl. Roedd o'n gwenu fel giât. 'Sam Morris ydi hwnna,' meddai Owain. 'Dwi wedi bod yn gwneud fy mhrosiect hanes arno.'

'Mae gen innau rywbeth i Bedwyr hefyd,' dywedodd Mr Mathews, gan estyn llyfr nodiadau clawr caled o'i fag. 'Mae hwn yn cynnwys rhestr o'r holl gemau chwaraeodd Craig-wen yn y dyddiau cynnar. Mae cyfeiriadau mynych at ysgol y Kings a'r holl dimoedd eraill wnaethon ni chwarae yn eu herbyn. Mae o'n rhestru enwau bob chwaraewr hefyd, ac mae enw Sam Morris yn dod i fyny yn reit aml. Ella medri di fenthyg yr eitemau yma ar gyfer dy gyflwyniad, Owain?' awgrymodd Mr Mathews. 'Ti'n sicr yn eu haeddu.'

'Baswn i'n hoffi hynny,' dywedodd Owain.

Ymunodd Owain gyda'i deulu am ychydig funudau ac roedd o wrth ei fodd o weld pa mor hapus oedd Cadi a'i mam am mai Dylan oedd arwr y dydd. Roedd hi'n rhyddhad cael rhannu'r sylw.

Ysgydwodd Dewi law Owain a gwenu. 'Dwi wedi bod yn siarad gyda rhyw ddyn yma heddiw wnaeth ofyn llawer o gwestiynau i mi amdanat ti a dy rygbi. A dweud y gwir, mae o'n sefyll yn union y tu ôl i ti ...'

Trodd Owain a synnu o weld dyn mewn côt law las tywyll gyda bathodyn Gleision Caerdydd ar ei frest.

'Wnest ti chwarae'n dda iawn heddiw, gw'boi. Wnest ti argraff arna i. Dwi wedi bod yn gwylio mwy nag un o dy gemau di'r tymor yma ac ro'n i'n meddwl tybed a hoffet ti gael hyfforddiant ar lefel uwch?' gofynnodd.

Doedd Owain ddim yn rhy siŵr beth a olygai'r dyn ac mae'n rhaid ei fod wedi edrych yn ddryslyd achos chwarddodd y newydd-ddyfodiad.

'Mae'n ddrwg gen i, dylen i fod wedi cyflwyno fy hun, wrth gwrs. Fi yw pennaeth rygbi ieuenctid y Gleision. Bydden ni wir yn hoffi petaet ti'n dod yn rhan o'n academi ni.'

Syfrdanwyd Owain a wyddai o ddim beth i'w ddweud. Edrychodd heibio ysgwydd y dyn, lle gallai weld dau ffigwr yn rhedeg o gwmpas y cae yn esgus eu bod yn dal i chwarae rygbi, a hynny nifer o flynyddoedd ar ôl iddyn nhw farw. Oedodd Sam a Dic a chwifio at Owain.

'Dweud ie,' rhuodd Dic.

'Ocê,' chwarddodd Owain gan droi at y dyn. 'Ia, dwi'n feddwl. Ia plis!'

Nodyn gan yr awdur

Cymeriad hanesyddol yw Sam Morris. Roedd yn frodor o Rydyman, sir Gaerfyrddin. Bu'n chwaraewr rygbi disglair i glwb rygbi Rhydaman, ac roedd yn nofiwr penigamp.

Glöwr cyffredin oedd Sam. Cyfnod digon cythryblus oedd hi yn y 1930au i'r diwydiannau trwm yng Nghymru. Fel yr eglurir yn y nofel: adeg y Rhyfel Byd 1914–18, roedd digon o alw am lo a haearn a dur o Gymru yn danwydd i'r llynges Brydeinig ac wedyn i wneud arfau. Ond ar ôl y rhyfel, cwympodd y prisiau, collodd miloedd eu gwaith, a chymoedd glo de Cymru oedd y rhai cyntaf i deimlo effaith y tlodi dychrynllyd. Roedd teuluoedd yn llwgu yno.

Gwelodd Ddyffryn Aman lawer o derfysgoedd a phrotestiadau yn ystod 1925-1926. Roedd Sam yn teimlo i'r byw dros degwch, cyfiawnder a hawliau teg i'r gweithwyr. Stori wir ydi iddo gael ei garcharu am gyfnod o bedwar mis adeg Streic y Glowyr yn y cyfnod yma.

Yn 1936 daeth galwad mawr Sam wrth i'r Rhyfel Cartref yn Sbaen dorri. Roedd gan lowyr de Cymru gydymdeimlad dwfn â'r bobl gyffredin, a'r glowyr oedd wedi profi erchyllterau Franco yn Sbaen, Gwlad y Basg a Catalwnia. Cofiwch i 3 mil o lowyr Sbaen gael eu lladd yn dilyn streic Asturias, gogledd Sbaen yn 1934. Erbyn Gorffennaf 1936, y Cadfridog Franco oedd yn rheoli'r fyddin ac fe gododd yn erbyn llywodraeth y bobl, gan ddechrau'r Rhyfel Cartref.

Fel yn y nofel, ymunodd Sam ag un o'r brigadau rhyngwladol a hwyliodd i Sbaen yn Rhagfyr 1936 yng nghmwni ei gyfaill bore oes, Wil Davies. Wrth gwrs, roedd y brigadau rhyngwladol yn cynnwys byddinoedd o bobl gyffredin o wledydd tramor oedd yn gwirfoddoli i fynd i ymladd i Sbaen.

Yn ôl yr hanes go iawn, anafwyd Sam yn ei goes yn Rhagfyr 1936. Bu farw yn 1937, ac yntau'n ddyn ifanc dawnus. Ond, yn ôl ei lythyrau i'w deulu gartref, ac yntau'n ddifrifol wael, ni phylodd ysbryd gwydn Sam – roedd yn daer dros godi llais yn erbyn ffasgiaeth hyd ddiwedd ei oes.

Rhaid cofio bod dychymyg ar waith yn y nofel hon. Er bod hanes Sam Morris wedi ei seilio ar hanes go iawn, mae llawer iawn o stori *Rebel Rygbi* hefyd yn hollol ddychmygol, ac ysbrydoliaeth yn unig yw'r hanes.

Cofeb i'r Cymry a wirfoddolodd ac a laddwyd wrth ymladd yn Rhyfel Cartref Sbaen (Parc Cathays, Caerdydd)

Y gyntaf yn y gyfres hon o nofelau
am goleg rygbi Craig-wen

Ysgol newydd ...
Gêm newydd ... hen ddirgelwch!

www.carreg-gwalch.cymru

Yr ail yn y gyfres hon o nofelau am goleg rygbi Craig-wen

Llawn cyffro ... ffrindiau'n ffraeo ... ysbrydion o'r gorffennol ... tymor i'w gofio!

www.carreg-gwalch.cymru